C901746922

Duan na Nollag

I mBéarla, sa bhliain 1843, a foilsíodh an saothar seo ar dtús, faoin teideal A CHRISTMAS CAROL IN PROSE. Tá an t-eagrán seo bunaithe ar an aistriúchán a d'fhoilsigh an tAthair Pádraig Ua Duinnín sa bhliain 1903, agus é athchóirithe ag Maitiú Ó Coimín do léitheoirí ár linne.

An Chéad Eagrán 1903

ISBN 978-1-911363-38-5

Ealaín: Arthur Rankham
Clóchur agus dearadh: Caomhán Ó Scolaí
Clódóireacht: Clódóirí Lurgan

Foras na Gaeilge

Tugann Foras na Gaeilge tacaíocht airgid do Leabhar Breac

Leabhar Breac, Indreabhán, Co. na Gaillimhe. www.leabharbreac.com

Duan na Nollag

I bPrós

nó

Scéal Taibhsí don Nollaig

le

Charles Dickens

Arna chur i nGaeilge ag an
Athair Pádraig Ua Duinnín

Arna chur in eagar agus in
oiriúint ag Maitiú Ó Coimín

Clár

AN CHÉAD RANN

TAIBHSE MHEÁRLAÍ

Bhí Meárlaí marbh, mar thosnú. Ní raibh amhras ar bith ar an méid sin. Chuir an ministir, an cléireach, an t-adhlacóir agus an príomhchaointeoir a n-ainm-neacha le cuntas a adhlactha; chuir Scrúg a ainm leis ina dteannta, agus níor chaill riamh ar mhargadh an airgid aon rud a chuirfeadh Scrúg a ainm leis.

Bhí sean-Mheárlaí chomh marbh le tairne dorais.

Féach! Ní hea go bhfuil a fhios agam féin cad é an saghas marú áirithe a bhaineas le tairne dorais; bhraithfinn féin gur mó an marú a bhaineann le tairne cónra ná le haon earra iarainn amuigh. Ach tá togha eolais ár sinsear sa seanfhocal, agus ní chuirfeadsa drochlámh ann, nó beidh an dúiche scriosta. Dá bhrí sin, lig dom a aithris go sealbhaithe go raibh Meárlaí chomh marbh le tairne dorais.

Bhí a fhios ag Scrúg go raibh sé marbh? Bhí, dar ndóigh. Ní fhéadfadh gan a bheith. Óir bhí sé féin agus Scrúg i bpáirtíocht le chéile ar feadh mórán de bhlianta. Ba é Scrúg a aonfheitheoir, a aonfhear ionaid, a aonfheidhmeannach, a aon-leagáidí iarmharach, a aonchara, agus a aonchaointeoir. Agus níor ghoill an t-éacht chomh trom sin ar Scrúg féin nár mhaith an fear gnó é lá na sochraide, agus nár chuir sé a shéala ar an lá sin le dea-mhargadh dearfa.

Cuireann an tagairt seo do shochraid Mheárlaí i gcuimhne dom an rud lenar thosnaíos. Níl aon amhras ná go raibh Meárlaí marbh. Bímis cinnte ar an méid sin nó is róbheag an t-ionadh a bhainfeas leis an scéal atá agam le haithris. Mura mbeimis sealbhaithe de bhás athair Hamlet roimh thosnú don dráma, níorbh iontaí é a bheith ag siúl dó féin istoíche ar a bhallaí féin agus an ghaoth anoir ná dá mbuailfeadh duine éigin scoth-aosta eile amach tar éis titim na hoíche go háit aerach — Reilig Phóil, abair — d'fhonn crith-eagla a chur ar a mhac maolaigeanta.

Níor ghlan Scrúg amach riamh ainm shean-Mheárlaí. B'in é ansin le cianta os cionn dhoras an tsiopa. Scrúg agus Meárlaí. Ba é an t-ainm a bhí ar an gcomhlacht ná Scrúg agus Meárlaí. Ar uairibh, ghlaoití Scrúg ar Scrúg, agus ar uairibh Meárlaí ag daoine ná raibh taithí acu ar an gcomhlacht, ach d'fhreagair sé don dá ainm. Ba chuma leis cé acu.

Ochón! Ba é an rúcach é Scrúg! Seanraga santach scríobach baileach anacrach ocrach! Chomh géar, chomh doirbh le breochloch nár bhain cruach riamh aibhleog raidhsiúil aisti. Is é a bhí go rúnach is go discréideach, agus chomh haonarach le hoisre. Chuir an fuacht a bhí ina chroí sioc amach trína sheanghnúis. Phrioc sé a ghéarshrón, shearg sé a ghrua, righnigh sé a shiúl, d'fhág sé go deargshúileach gormbhéalach é, agus fiú amháin mothaíodh é go róghéar ina gharbhghuth. Bhí reo cuisneach ar a cheann is ar a mhalaí, agus ar a smigín fhaobhrach. Bhí a fheillfhuacht féin i gcónaí ina chuideachta; chuisnigh sé an oifig i lár an tsamhraidh, agus níor bhog sé oiread is aon chéim amháin um Nollaig.

Is róbheag an bheann a bhí ag Scrúg ar fhuacht ná ar theas ón taobh amuigh. Ní théifeadh teas agus ní fhuaródh garbhshíon é. Níor ghéire aon ghaoth dár shéid riamh ná é. Níor cáitheadh sneachta riamh ba dhúthrachtaí, agus níor thit clagar ba neamhthruamhéalaí ná mar a bhí Scrúg. Ní bhfuair doineann aon áth air. Níor rug fearthainn ná sneachta ná cloch shneachta barr uaidh riamh, ach amháin sa chuma seo: gur mhinic iad sin ag teacht faoi do dhéin go raidhsiúil, ach níor mhar sin do Scrúg.

Níor mhoilligh éinne riamh sa tsráid é á rá, "A Scrúig, a chara, conas atá tú? Cathain a thiocfaidh tú do m'fhéachaint?" Ní iarrfadh na bacaigh beagáinín air. Ní fhiafróidh na páistí de cad a chlog é. Níor fhiafraigh fear ná bean riamh de taispeánadh na slí go dtí a leithéid sin d'áit. Fiú madraí na ndall — ba dhóigh leat go raibh aithne acu air; nuair a chídís ag teacht é tharraingídís a máistrí go béil na ndoirse, nó isteach i lánaí, agus chroithidís a n-eireabaill, chomh maith is dá n-abraidís, "Is fearr a bheith gan súil ná drochshúil, a mháistir dhaill."

Ach cad é sin do Scrúg? B'in é a bhí uaidh. Ba bhia is ba dheoch dó a mhaidí a bhreith leis trí chosán líonmhar an tsaoil, ag fógairt truamhéala daonna go léir uaidh.

Feacht n-aon — an lá roimh Nollaig thar laethaibh an domhain — bhí sean-Scrúg ina shuí ina theach comhairimh agus é go dícheallach. Bhí an uain go fuar, cuisneach, géar. Bhí ceo ann leis. D'airíodh sé na daoine sa chearnóg amuigh ag gabháil síos suas, ag sraothartach, agus ag bualadh a lámh i gcoinne a n-ucht, agus ag dianbhualadh a gcos ar na leaca d'fhonn iad a théamh. Bhí cloig na cathrach díreach tar éis an trí a bhualadh, ach bhí sé dorcha cheana féin, agus ní raibh puinn solais ó mhaidin ann, bhí coinnle ar léirlasadh i bhfuinneoga na n-oifigí i bhfogas dó mar a bheadh saigheada soilseacha ar an aer donn tathagach. Isteach leis an gceo trí gach uachais is poll eochrach, agus le neart a theachta is ar éigean a chífeá na tithe ar an taobh thall, cé go raibh an cearnóigín feillchúng. Dá bhfeicfeá an dúnéal ag titim is ag teacht anuas ba dhóigh leat go raibh an spéir ina cónaí le d'ais, agus í ag bríbhéireacht go lánfhairsing.

Bhí doras theach comhairimh Scrúig ar leathadh i gcás go bhfairfeadh sé an cléireach a bhí ag athscríobh litreach i seomra beag léir-dhorcha — saghas dromhlaigh ab ea é — ar an taobh amuigh. Bhí tine an-bheag ag Scrúg, ach bhí lasóigín an chléirigh an oiread sin ní ba lú gur dhóigh leat ná raibh ach spré ann. Ach ní raibh aon chaoi aige ar í a mhéadú, óir choinnigh Scrúg cliabhán an ghuail ina sheomra féin, agus chomh luath is a thagadh an cléireach isteach leis an tsluasaid níor theip ar an máistir a rá go raibh eagla air go gcaithfidís scarúint le chéile. Dá bhrí sin, chuir an cléireach a charbhat bán air, agus thug sé iarracht ar é féin a théamh leis an gcoinneal, ach theip sin air, óir níor mhór é a neart samhlaíochta.

"Nollaig shúgach chugat, a uncail! Dia duit," arsa guth meidhreach. Ba é guth nia Scrúig é, a tháinig chomh mear sin faoina dhéin nár mhothaigh sé a theacht go dtí sin.

"Muise, díth céille!" arsa Scrúg.

Bhí an oiread sin teasa ar nia Scrúig, tar éis a luathshiúil sa cheo, go raibh luisne ar lasadh tríd. Ba lonrach dathúil í a ghnúis, bhí lasair ina shúile, agus bhí a chuid anála ag teacht ina gal.

"An Nollaig díchéillí, an ea?" arsa nia Scrúig. "Ní hí sin brí d'fhocail, dar ndóigh?"

"Is í go cruinn," arsa Scrúg. "Nollaig shúgach! Cad é an t-ábhar nó an chúis atá agatsa le bheith súgach? Tá tú dealbh do dhóthain!"

"Sea, is dóigh," arsa an nia go gáireach. "Cad é an chúis duitse a bheith go dubhach? Cad chuige a bhfuil tú doilbh? Tá tú saibhir do dhóthain!"

Óir ná raibh aon fhreagra eile ar bharr a theanga ag Scrúg, is é a dúirt, "Ó, mhuise," agus ansin, "díth céille."

"Ná bí ar buile, a uncail," arsa an nia.

"Cad ina thaobh ná beinn," arsa Scrúg, "agus mé ag maireachtáil sa domhan seo atá lán suas d'amadáin? Nollaig shúgach! Sceimhle ar do Nollaig shúgach. Cad atá sa Nollaig duitse ach am díolta na mbillí, gan airgead; am ina bhfágfaidh tú thú féin bliain níos sine agus gan a bheith uair an chloig níos saibhre; am ina gcaithfidh tú suas do leabhair chuntais, agus gach blúire dá bhfuil iontu le dhá mhí dhéag i do choinne go feidhmiúil? Dá bhfaighinnse mo thoil," arsa Scrúg go míchéadfach, "bhruithfinn i dteannta a phutóige féin gach óinseach acu seo a bhíonn ar siúl agus Nollaig shúgach ina bhéal, agus chuirfinn é agus cuaille cuilinn trína chroí; sin é a dhéanfainn leis!"

"A uncail ó!" arsa an nia, ag achairt air.

"A nia," arsa an t-uncail go tur, "caith do Nollaig cibé slí is maith leat, agus lig domsa í a chaitheamh i mo shlí féin."

"Í a chaitheamh?" arsa a nia. "Dar ndóigh, ní chaitheann tusa í."

"Lig dom gan í a bhac, mar sin," arsa Scrúg. "Maith is sláinte go ndéana sí duitse! Is mór a rinne sí de mhaitheas riamh duit!"

"Is dócha gur iomaí rud a dhéanfadh maitheas dom, agus ná deachaigh chun suime dom, agus an Nollaig chomh maith leo," arsa an nia, "ach, go deimhin, i gcónaí nuair a thagann Féile na Nollag téann mo chroí léi mar aimsir mhaith — agus gan an urraim a bhaineann lena hainm is lena chéadtosú a bhac, cé gur deacair an urraim sin a dheighilt ó aon ní a bhaineann léi — cuimhním ar aimsir chairdiúil mhaiteach charthanach shoilbhir, an aon aimsir amháin i rith na bliana go léir ina leathann fir is mná d'aontoisc go fairsing a gcroí daingean ag féachaint ar an muintir a bhíonn níos ísle ná iad féin, faoi mar a d'fhéachaidís ar a gcomhthurasóirí go dtí an saol eile, agus ní mar a d'fhéachaidís ar shaghas éigin eile d'ainmhithe ag cur an bhóthair díobh go háiteanna eile. Dá bhrí sin, cé nár chuir an aimsir sin aon ór ná airgead i mo phóca, is é mo thuairim go ndeachaigh sí chun maitheasa dom, agus go rachaidh, agus — go neartaí Dia léi — sin é a deirimse."

Bhuail an cléireach sa dromhlach a bhosa — ní raibh leigheas aige air féin. Ach láithreach baill nuair a bhraith sé go raibh rud éigin as an tslí déanta aige, luigh sé ar an tine a ghríosú, agus mhúch an smól deireanach di go brách.

"Faighim gíog eile asat," arsa Scrúg, "agus caithfidh

tú an Nollaig le cailliúint do chuid oibre! Is láidir an t-óráidí thú," ar sé, ag féachaint anonn ar a nia, "Is ionadh liom ná téann tú go dtí an Pharlaimint."

"Ná bíodh fearg ort, a uncail. Sea, tar chun dinnéir chugainn amárach."

Dúirt Scrúg go bhfeicfeadh sé ag an diabhal é. Dúirt, ambaiste, agus níor chuir sé aon fhiacail ann. Dúirt sé go bhfeicfeadh sé san áit sin ar dtús é.

"Cad é an chúis?" arsa an nia. "Cad é an chúis?"

"Cad é an chúis ar phós tú?" arsa Scrúg.

"Mar thiteas i ngrá."

"Mar thit tú i ngrá!" arsa Scrúg go madrúil, i dtreo gur dhóigh leat gurb é sin an ní amháin ba díchéillí ná Nollaig shúgach. "Go n-éirí an lá leat."

"Ar ndóigh, a uncail, níor tháinig tú riamh do m'fhéachaint roimh an mbeart sin. Cad é an chúis duit é a thabhairt mar leithscéal anois?"

"Go n-éirí do bhóthar leat," arsa Scrúg.

"Níl aon ní uaim ort; nílim ag iarraidh aon nithe ort. Cad ina thaobh ná beimis cneasta le chéile?"

"Go n-éirí do bhóthar leat," arsa Scrúg.

"Tá cathú mo chroí orm thú a bheith chomh doghluaiste sin. Ní raibh aon ní eadrainn riamh a raibh leigheas agamsa air. Ach thugas an iarracht seo in umhlaíocht don Nollaig, agus leanfaidh mé do mo shoirbheas Nollaigiúil go deireadh. Sea, Nollaig shúgach chugat, a uncail."

"Go n-éirí do bhóthar leat," arsa Scrúg.

Ina thaobh sin, d'fhág a nia an seomra gan focal feargach a rá. Stop sé ag an doras lasmuigh chun fáilte na féile a fhearadh don chléireach. Agus dá fhuaire an cléireach ba theo é ná Scrúg, mar is cairdiúil a d'fhreagair sé.

"Sin duine eile," arsa Scrúg faoina fhiacail, mar bhí sé ag éisteacht leis. "Mo chléireach lena chúig déag sa tseachtain, agus bean is clann aige, ag trácht ar Nollaig shúgach. Imeodsa ar gealtaí!"

Ar ligean amach nia Scrúig don fhear buile seo, lig sé isteach beirt eile. Daoine uaisle teanna spéisiúla ab ea iad, agus sheasadar ceann-nochta in oifig Scrúig. Bhí leabhair is páipéir ina lámha acu, agus d'umhlaíodar dó.

"Scrúg agus Meárlaí, is dóigh liom," arsa ceann de na huaisle, agus é ag féachaint ar a chuntas. "Cé acu Scrúg nó Meárlaí a bhfuil sé mar bhail orm a agallamh?"

"Tá an duine uasal Meárlaí marbh le seacht mbliana. Fuair sé bás seacht mbliana is an oíche anocht go beacht."

"Níl amhras orainn ná go leanann a bheochumann dá dhaonnacht fós," arsa an duine uasal, agus é ag síneadh a pháipéar chuige.

Is fíor gur lean, mar b'aon saghas amháin iad. Ar chloisint an fhocail rúnaigh sin 'daonnacht' do Scrúg tháinig gruaim air, agus chroith sé a cheann, agus shín sé na páipéir chuige thar n-ais.

"In aimsir shaoire seo na bliana, a Scrúig uasail," arsa an duine uasal, agus é ag tógaint pinn ina lámh, "is rócheart go ndéanaimis treo éigin do na bochtáin dhealbha, mar is mór é a ngátar um an dtaca seo. Is iomaí míle díobh atá ar easpa an bhia is an éadaigh. Tá na céadta mílte agus gan na compoird choitinn féin acu."

"Agus ná fuil na príosúin ann?" arsa Scrúg.

"Tá, a ndóthain," arsa an duine uasal, agus é ag cur an phinn uaidh.

"Agus an bhfuil tithe na mbocht i dtreo fós?"

"Tá," arsa an duine uasal. "Ba mhaith liom dá bhféadfainn a rá ná fuil."

"Tá muileann na gcos agus dlí na mbocht go beo-aibí mar sin?" arsa Scrúg

"Tá siad araon go ródhícheallach."

"Á! Bhí eagla orm i dtaobh a ndúirt tú ar dtús gur chosc rud éigin iad ar a slí fónta," arsa Scrúg. "Tá áthas orm ina thaobh sin."

"Is dóigh le cuid againn," arsa an duine uasal, "nach oiriúnach iad chun soineann coirp is aigne a thabhairt don slua, agus táimid ag iarraidh airgid a bhailiú chun bia is éadach, agus cóir chun a dtéite, a cheannach do na bochtáin. Thoghamar an aimsir seo, óir is í an aimsir í go cinnte ina mothaítear an gátar agus ina mbíonn áthas ar lucht saibhris. Cé mhéad a chuirfidh mé os comhair d'ainm?"

"Pioc," arsa Scrúg.

"B'fhearr leat gan d'ainm a ligean amach?"

"B'fhearr liom go ligfí dom féin," arsa Scrúg. "Ó d'fhiafraigh sibh díom, a dhaoine uaisle, cad é ab fhearr liom, sin é mo fhreagrasa. Ní bhím féin súgach um Nollaig, agus níl sé de ghustal orm daoine díomhaoine a dhéanamh súgach. Tugaim cabhair do na háiteanna a luaigh tú — ní beag liom a gcostas, agus téadh a bhfuil leathlámhach isteach iontu."

"Tá mórán ná féadfadh dul isteach, agus b'fhearr le mórán eile bás a fháil."

"Más fearr leo bás a fháil," arsa Scrúg, "faighidís bás, agus laghdóidís léir-líonmhaireacht na ndaoine. Ina theannta sin — más é do thoil é — nílim deimhneach de sin."

"Ach d'fhéadfá a bheith," arsa an duine uasal.

"Ní hé mo ghnósa é," arsa Scrúg. "Ní beag do

dhuine eolas a ghnó féin a bheith aige, agus gan a bheith ag cur isteach ar ghnóthaí daoine eile. Tá mo ghnósa mar chúram ormsa i gcónaí. Slán beo chugaibh, a dhaoine uaisle."

Óir ba léir dóibh nárbh aon mhaitheas a bheith leis, bhog na huaisle a mbóthar, agus luigh Scrúg arís ar a chuid gnóthaí, le breis measa air féin agus le haigne níos sultmhaire ná mar ba ghnách leis.

An tráth seo, bhí an ceo is an dorchadas chomh mór sin go raibh daoine ag rith anseo is ansiúd le tóirsí lonracha ag iarraidh go ligfí dóibh siúl roimh chapaill a bhí faoi charráistí d'fhonn iad a stiúradh sa tslí. Níorbh fhéidir sean-chloigtheach an teampaill a fheiscint, é sin a mbíodh a sheanchlog uallfartach ag tabhairt súilfhéachana claoine ar Scrúg ó fhuinneog ghotach sa mhúr — agus a bhuail na huaireanta is na ceathrúna i measc na néalta le creathanna ró-mheara, mar a bheadh díoscán fiacla ina bhlaosc seachas in airde. Tháinig an fuacht an-dian ar fad. Sa phríomhshráid, i gcúinne na cearnóige, bhí roinnt fear oibre ag deisiú píopa gáis, agus bhí tine mhór fadaithe acu i gciseán, agus mórthimpeall na tine seo bhí ábhar fear is garsún gioblach cruinnithe ag téamh a lámh agus ag bagairt a súl os comhair an bhladhma scleondraigh. Nuair nár fhan éinne i bhfeighil an choic uisce, rug an sioc gan mhoill ar a sceitheadh, agus d'iontaigh sé ina leac oighir mínádúrtha. Chuirtí caorlasadh ar ghruanna na siúlóirí le lonradh ó fhuinneoga na siopaí ina raibh craoibhíní cuilinn is caora ag cnagarnach le teas ó na lampaí. B'álainn an spórt a bheith ag díol éanlaithe is ólacháin; radharc glórmhar ab ea é, i dtreo gur ar éigean a chreidfeá gur bhain reic ná margadh ná rudaí suaracha dá leithéid leis. D'ordaigh an Tiarna Maoir i ndaingean a mhaorthí rófhairsing dá chaoga cócairí is buitléirí Nollaig a bheith acu chomh maith is ba chóir do chuallacht Thiarna Maoir, agus fiú an táilliúir (ar chuir sé coróin fíneála air an Luan roimhe sin i dtaobh a chuid meisce is achrainn ar an tsráid), chorraigh sé putóg an lae amárach ar an tine ina bhotháinín, agus a lombhean is a pháistín lasmuigh chun an mhairteoil a cheannach.

Bhí an uain ag dul i gceocht agus i bhfuaire. Agus ba é an fuacht géar creimneach é a ghabhfadh tríot. Dá mb'áil le Naomh Dunstan srón an ainspioraid a chreimeadh le hiarracht dá leithéid sin de shíon, in ionad é a phriocadh mar ba ghnách leis — ní dóigh go gcuirfeadh sé liú fiáin as! Duine air a raibh srón bheag óg a bhí creimthe, pioctha, leis an bhfuacht cíocrach, mar a bheadh cnámha pioctha ag gadhair, chrom sé síos go poll eochrach Scrúig, d'fhonn scléip a chur air le Duan na Nollag, ach ar chéadchloisint dó,

"Dia duit, a dhuine uasail shuairc,
Ná raibh tú riamh faoi ghruaim!"

rug Scrúg ar an tslat riail leis an oiread sin fuinnimh gur theith an duanaire le huamhain, agus gur fhág poll na heochrach ag an gceo is ag an sioc, ós é ba oiriúnaí dó.

Faoi dheireadh tháinig am iata an tí chomhairimh. Go mall, leisciúil, d'éirigh Scrúg óna stól agus bhagair sé ar an gcléireach a bhí ag feitheamh sa dromhlach. Láithreach baill, mhúch seisean an choinneal agus chuir a hata ar a cheann.

"Is dóigh go mbeidh an lá amárach go léir uait?" arsa Scrúg.

"Má tá caoi agat ar é a thabhairt dom, a dhuine uasail."

"Níl caoi agam air, agus ní ceart é a thabhairt duit. Dá gcoimeádfainn leathchoróin uait ina aghaidh déarfá gur rinneadh éagóir ort, gabhaimse orm."

Chuir an cléireach smiota gáire as.

"Agus ina thaobh sin," arsa Scrúg, "ní dóigh leat go bhfuil éagóir déanta ormsa nuair a thugaim pá lae uaim gan obair."

Dúirt an cléireach ná raibh an scéal amhlaidh ach amháin uair sa bhliain.

"Is deas an leithscéal é sin chun duine a chreachadh gach cúigiú lá fichead de mhí na Nollag!" arsa Scrúg, agus é ag dúnadh cnaipí a chóta mhóir suas go smigín. "Ach dealraíonn an scéal go gcaithfidh tú an lá ar fad a fháil. Bí anseo níos luaithe ar maidin amanathar ar a shon sin."

Gheall an cléireach go mbeadh, agus ghluais Scrúg air amach, ag cur uallfairte as. Ar bhagairt na súl, bhí an oifig dúnta, agus shleamhnaigh an cléireach fiche uair síos go bun Chnoc an Arbhair, i dtaobh thiar de

shlua garsún, agus dhá eireaball a bhán-charbhait ag croitheadh ag a chom, mar onóir d'Oíche Nollag. Agus ansin rith sé abhaile go Baile Caimdin chomh tapa is ab fhéidir leis é, d'fhonn dalladh púicín a imirt.

Chaith Scrúg a dhoilbhdhinnéar ina dhoilbhthábhairne ghnách, agus iar léamh na bpáipéar nuachta ar fad, agus iar gcaitheamh ar fhan den tráthnóna os cionn a bhanc-leabhair dó, chuaigh sé abhaile chun codlata. Chónaigh sé i seomraí a bhain roimhe seo lena chompánach a bhí curtha. Seomraí dorcha ab ea iad i mórtheach gruama a bhí thuas i lána — áit ná raibh puinn gnó aige, i dtreo gur dhóigh leat gurbh amhlaidh a rith sé ann nuair a bhí sé ina ógtheach ag imirt "spiaireachta" le tithe eile, agus nár fhéad sé an tslí amach a fháil arís. Bhí sé aosta a dhóthain anois, agus doilbh a dhóthain, óir níor mhair éinne ann ach Scrúg, agus rinneadh oifigí de na seomraí eile go léir. Bhí an lána chomh dorcha sin gurbh éigean do Scrúg cuardach lena lámha, cé go raibh eolas aige ar gach aon chloch de. Bhí an ceo is an sioc cruinnithe timpeall gheata dubh aosta an tí, i dtreo gur dhóigh leat gur shuigh Spiorad an tSíon ar an tairseach ag machnamh go léirbhrónach.

Is ea anois, is deimhin ná raibh aon ní ait ag baint le cnagaire an dorais, ach go raibh sé an-mhór. Is deimhin fós go bhfeiceadh Scrúg istoíche is ar maidin é an fhaid a bhí sé ina chónaí san áit sin, agus ná raibh fear i gcathair Londan ba lú léirsmaoinimh ná é féin — agus an chathair-chomplacht, na haosánaigh agus a mbuíon timpireachta a chur leis, cé gur mór an focal é. Cuirtear i gcuimhne leis, nár rith Meárlaí in aigne Scrúig ón uair dheireanach a thagair sé an tráthnóna sin dá chompánach a bhí marbh le seacht mbliana, agus ansin, míníodh duine éigin dom, más féidir leis é, conas a tharla, cé go raibh an eochair i nglas an dorais aige, ná faca Scrúg sa chnagaire sin, agus gan athrú ar bith a bheith déanta air — ná faca sé cnagaire ach aghaidh Mheárlaí!

Aghaidh Mheárlaí! Ní raibh sé léircheilte le dorchadas, mar a bhí rudaí eile sa lána, ach solas doilbh ina thimpeall mar a bheadh ar ghliomach lofa i bpoll dorcha. Ní go feargach ná go fíochmhar a bhí sé, ach d'fhéach sé ar Scrúg díreach mar a d'fhéachadh Meárlaí: a spéaclaí spioraide dírithe suas ar a éadan spioradúil. Bhí a ghruaig corraithe i gcuma éigin neamhghnách, mar a chorródh anáil nó aer teasaí, agus bhí a shúile ina léirstad, cé go rabhadar ar deargleathadh. Dá bhrí sin, agus mar gheall ar an dath liathbhán a bhí air, ba ghránna le feiscint é — ach ba dhóigh leat nár bhain an ghránnacht leis an aghaidh féin, agus gur dá ainneoin a bhí sí, in ionad a bheith ann faoi mar a mbainfeadh sí leis an aghaidh féin.

Ar fhéachaint do Scrúg go dian ar an rud seo, bhí sé ina chnagaire arís.

Dá ndéarfainn nár baineadh geit as, agus nár mhothaigh sé a chuid fola ag léirchrith i dtreo nár mhothaigh ó bhí sé ina leanbh, ní bheadh an fhírinne agam. Ach ina thaobh sin, chuir sé a lámh ar an eochair a bhí sé tar éis a ligean uaidh, chas sé an eochair go déadla, isteach leis, agus las a choinneal.

Is deimhin gur stad sé ar feadh nóiméid le huamhain sular dhún sé an doras, agus gur fhéach sé laistiar de ar dtús, ag brath, ba dhóigh leat, go gcuirfí anfa air le radharc pheiriúice Mheárlaí ag sá amach sa halla. Ach ní raibh aon ní laistiar den doras ach na scriúnna is na fáisceáin a choinnigh greim ar an gcnagaire. “Foth,

foth!" arsa Scrúg, agus dhún sé an doras le mórthuairt.

Leath an fhuaim sin ar fud an tí, ag aisfhilleadh mar thoirneach. Ba dhóigh leat go raibh macalla faoi leith ag gach seomra thuas is ag gach tonna sna fíonsiléir thíos. Níorbh fhear Scrúg a gcuirfeadh macallaí anfa air. Dhaingnigh sé an doras, agus trasna an halla agus suas an staighre leis, ach thóg sé a shuaimhneas, agus chóirigh sé a choinneal ina shlí.

Ná bí ag caint ar chóiste sheisreach a thiomáint suas seanstaighre — nó trí dhroch-Acht nuadhéanta na Parlaiminte — ach is é a deirimse leat go bhféadfá cróchar a bhreith suas an staighre úd ar a leithead, agus an cró tosaigh tiontaithe go dtí an balla agus an doras in aghaidh an chaolaigh, ba ghairid an mhoill ort é. Bhí dóthain an mhéid sin de leithead ann, agus fuílleach, agus b'fhéidir gur dá bhrí sin a bheartaigh Scrúg go bhfaca sé cróchar ag gluaiseacht roimhe sa dorchadas. Níor leor leathdhosaen de lampaí gáis ón tsráid chun solas a thabhairt don halla agus, dá réir sin, ní dóigh go raibh sé so-lasta le buaiceas Scrúig.

Ach ba chuma sin le Scrúg, agus suas leis. Tá an dorchadas saor, agus thaitin sé le Scrúg. Ach sular dhún sé a thromdhoras, shiúil sé trína sheomraí ag féachaint an raibh gach ní ina cheart. Chuir cuimhne na haghaidhe úd scanradh a dhóthain air chun an méid sin a dhéanamh.

An seomra suite, an seomra codlata, an seomra stórais. Bhíodar go léir mar ba cheart dóibh. Ní raibh éinne faoin mbord, ná faoin súsa. Bhí lasóg tine sa ghráta; bhí spúnóg agus báisín ullamh agus an coire beag leite ar an iarta, mar bhí slaghdáinín ar Scrúg. Ní raibh éinne faoin leaba ná sa chúlteach; ní raibh éinne ina ghúna tí a bhí ar crochadh i gcoinne an bhalla i dtreo amhrasach. Bhí an seomra stórais mar ba ghnáth. Sean-tinechosantóir, seanbhróga, dhá iasc-chliabhán, árthach nite ar trí chos, agus bior teallaigh.

Dhún sé an doras go lánsásta, agus chuir an glas air. Chuir, agus glas dúbailte air, rud ab annamh leis. Óir ná féadfaí teacht i ngan fhios air dá dhroim sin, bhain sé de a charbhat, chuir a ghúna cóirithe is a shlipéir air, agus a chaipín oíche, agus shuigh síos os comhair na tine chun a chuid leite a chaitheamh.

Ba bheag an lasóigín tine a bhí ann dáiríre. Níorbh fhiú í a áireamh, oíche gharbh dá leithéid seo. B'éigean dó druidim isteach léi, agus fanúint os a cionn ar feadh i bhfad sularbh fhéidir leis aon teas a mhothú ón smóilín tine sin. Bhí an tinteán aosta go leor. Rinneadh é le ceannaí ón Ollainn fadó shin, agus bhí dea-shlinnte deasa Ollannacha mórthimpeall ag léirfhoilsiú na Scríbhinne Diaga. Bhí Cáiní agus Áibilí agus iníonacha Faró, agus Banríonacha Sheabá ann. Bhí teachtairí ainglí ag teacht anuas tríd an aer ar néalta ba shamhail le leapacha clúimh. Bhí Abrahámaí, Béilseazaraí agus aspail ag dul chun farraige i mbáid ime. Bhí céad fíor nach iad ann chun é a ghríosú chun machnaimh. Ach ina dhiaidh sin, tháinig an aghaidh úd Mheárlaí a bhí marbh le seacht mbliana, mar shlat an tseanfháidh, agus shlog siar iad go léir. Dá mbeadh gach aon sleamhain-slinn gan aon ní tarraingthe uirthi, agus neart aige íomhá éigin a dhéanamh ar a droim le blúirí dá chuid smaointe deighilte ó chéile, bheadh macasamhail chinn Mheárlaí ar gach ceann acu.

"Díth céille!" arsa Scrúg, agus shiúil trasna an tseomra.

Tar éis siúil dó anonn is anall go minic, shuigh sé síos arís. Chaith sé é féin siar ina chathaoir, agus luigh a shúil ar chloigín — seanchloigín gan mhaith ab ea é — a bhí ar crochadh sa seomra agus ag freagairt don seomra ab airde sa teach, ní fios anois cad chuige. Ghabh ionadh agus uamhan mór dothuigthe é nuair a d'fhéach sé ar an gclog seo, agus chonaic sé é ag tosnú ar bhualadh. Ar dtús croitheadh chomh ciúin sin é gurbh ar éigean a tháinig fuaim uaidh, ach ba ghearr gur bhuail sé go hard agus gur bhuail gach clog sa teach ina theannta.

Ní raibh ansin ach nóiméad, nó leathnóiméad, ach ba dhóigh leis go raibh uair an chloig ann. Stop na cloig in éineacht amhail mar a thosnaíodar. Tháinig glór gliogarnach ina ndiaidh, thíos in íochtar an tí, faoi mar a bheadh duine éigin ag tarraingt slabhra trom os cionn na dtonnaí sa siléar fíona. Ansin chuimhnigh Scrúg gur airigh sé go ndeirtí go mbíodh slabhraí ar tarraingt ag spioraid i dtithe aeracha.

De gheit, osclaíodh doras an tsiléir le léirfhothram,

agus ansin d'airigh sé an fhuaim i bhfad níos soiléire ar an urlár thíos. Ansin ag teacht aníos an staighre, agus ansin ag déanamh ar dhoras a sheomra.

"Díth céille is ea é, ina thaobh sin is uile," arsa Scrúg. "Ní chreidfidh mé é."

Tháinig athrú ar a dhath, áfach, nuair a tháinig sé gan mhoill tríd an tromdhoras agus isteach sa seomra os comhair a shúl. Ar theacht isteach dó, bhladhm an smóilín a bhí ag dul in éag, faoi mar a déarfadh sé "Tá aithne agam ar spiorad Mheárlaí," agus chuaigh sé as arís.

Ba í an aghaidh chéanna í, an seancheann céanna. Ba é Meárlaí é, faoina pheiriúic, vástchóta gnách, bríste is buataisí, agus bobailíní na mbuataisí ag guairiú ar nós na peiriúice, agus ar nós sciortaí a chóta is gruaig a chinn. Bhí an slabhra a bhí á tharraingt aige casta timpeall a choim. Bhí an-fhad ann, agus é tochraiste ina thimpeall, ar nós eireabaill, agus (óir ba ghéar a d'iniúch Scrúg é) bhí sé déanta de bhoscaí airgid, d'eochracha, glais, leabhair chuntais, cáipéisí agus tromsparáin síor-oibrithe i gcruach. Bhí an solas ag dul trína chorp, i dtreo go bhfaca Scrúg, á iniúchadh dó, agus ag féachaint ar a vástchóta, an dá chnaipe a bhí ar chúl a chasóige.

Is minic a d'airigh Scrúg ná raibh aon drólann ag Meárlaí, ach níor chreid sé riamh é go dtí seo.

Ní hea gur chreid sé anois féin é. Cé gur iniúch sé an taibhse tríd isteach, agus go bhfaca sé é ina sheasamh os a chomhair; cé gur mhothaigh sé a chuid misnigh á scaipeadh ag a shúile fuarmharbha, agus gur thug sé faoi ndeara an saghas éadaigh a bhí sa chiarsúr a bhí casta timpeall a chinn is a smigín (rud ná faca sé go dtí seo); ina dhiaidh sin go léir, ní chreidfeadh sé a chluasa ná radharc a shúl.

"Sea, anois," arsa Scrúg chomh géar is chomh neamhchairdiúil is ba ghnách leis, "cad é an gnó atá agat díom?"

"Mórán!" — ba é guth Mheárlaí é, gan amhras.

"Cé hé thusa?"

"Fiafraigh díom cérbh é mé."

"Cérbh é thú, mar sin?" arsa Scrúg, ag ardú a ghutha. "Is beacht atá tú mar thaibhse." Mheas sé a rá "agus is *taibhseach*," ach chuir sé an focal eile ina ionad mar ba é b'oiriúnaí.

"Nuair a bhíos i mo bheatha is é a bhí ionam ná do chompánachsa, Iacób Meárlaí."

"An féidir — an féidir leat suí?" arsa Scrúg, á amharc go hamhrasach.

"Is féidir."

"Suigh, mar sin."

Chuir Scrúg an cheist sin chuige, mar ná raibh a fhios aige an bhféadfadh spiorad dá shaghas sin, a dtéadh an solas tríd, suí i gcathaoir, agus bhí eagla air mura bhféadfadh, go mbeadh sé d'fhiacha air leithscéal éigin neamhbhlasta a thabhairt uaidh. Ach shuigh an spiorad ar an taobh thall den tinteán faoi mar a bheadh taithí aige air.

"Ní ghéilleann tú dom," arsa an spiorad.

"Ní ghéillim," arsa Scrúg.

"Cad í an fhianaise atá agat gur mise atá ann, ach go bhfeiceann tú mé agus go labhraíonn tú liom?"

"Ní fheadar," arsa Scrúg.

"Cad chuige ná géilleann tú do do radharc agus do d'éisteacht?"

"Mar is beag an rud a chuireann orthu," arsa Scrúg. "Déanann galar beag goile bréagach iad. B'fhéidir ná fuil ionat ach blúire mairteola doleáite, niacha mustaird, blúirín cáise, nó ruainne de phráta cnagbheirthe. Is mó a bhaineann mairt ná feart leat, cibé thú féin!"

Ní raibh taithí ag Scrúg ar mhagadh, agus níor mhothaigh sé fonn magaidh air féin an tráth sin. Is é fírinne an scéil é gur thug sé iarracht ar a bheith gearrghreannmhar d'fhonn treo a chur ar a mheabhair, agus a chuid anfa a choimeád faoi smacht, mar chuir guth na taibhse fiú smior a chnámh ar dianchrith.

Shíl Scrúg go n-imeodh sé ar buile dá bhfanfadh sé ina shuí, fiú ar feadh nóiméid, ag dian-amharc na súl neamhchorraithe gloiniúla sin, agus gan focal as. B'iontach an rud leis go raibh aer diabhlaí timpeall na taibhse a bhain leis féin. Ní hea gur mhothaigh Scrúg é, ach bhí sé ann gan amhras ina thaobh sin, mar, cé gur shuigh an spiorad gan cor ar bith a chur as, bhí a ghruaig, a sciortaí agus a chocáin ar síorchrith faoi mar a bheadh gal te ó bhácús ag gabháil faoi.

"An bhfeiceann tú an bior fiacla seo?" arsa Scrúg, ag filleadh ar an gcomhrá, ar an ábhar gur thráchtamar air. B'áil leis dian-amharc gloiniúil na taibhse a choimeád uaidh féin, dá mba ar feadh aon nóiméid amháin é.

"Chím," arsa an spiorad.

"Níl tú ag féachaint air," arsa Scrúg.

"Ach chím é, ina dhiaidh sin is uile," arsa an spiorad.

"Sea," arsa Scrúg, "níl agam ach é seo a shlogadh siar chun a bheith cráite le taibhsí ina sluaite i rith mo shaoil, agus iad go léir de mo chruthú féin. Díth céille, a deirim leat. Díth céille."

Leis sin lig an spiorad béic iontach as, agus chroith sé a shlabhra le fuaim dhoilbh anfúil i dtreo gur choinnigh Scrúg greim daingean ar an gcathaoir d'fhonn é féin a choimeád ó thitim i bhfanntais. Ach bhí anfa i bhfad níos mó air nuair a bhain an spiorad de an banda a bhí casta ar a cheann, faoi mar a bheadh brothall rómhór air chun é a chaitheamh istigh, agus thit an corrán ar an ucht aige.

Chaith Scrúg é féin ar a ghlúine, agus bhuail sé a dhá lámh fuaite ina chéile suas lena aghaidh.

"Déan trócaire orm," ar seisean, "a thaibhse uafásach. Cad chuige a bhfuil tú do mo chrá?"

"A fhir an aigne shaolta," arsa an spiorad, "an ngéilleann tú dom? Sea nó ní hea?"

"Géillim," arsa Scrúg. "Caithim géilleadh. Ach cad chuige a siúlann spioraid ar an talamh, agus cad chuige a dtagann siad chugamsa?"

"Tá sé i ndán do gach aon duine," arsa an taibhse, "an spiorad atá istigh ann a shiúl i measc na ndaoine, agus turais fhada a thabhairt isteach, agus más rud é ná gabhann an spiorad sin amach roimh bhás, is éigean dó dul amach tar éis bháis. Tá sé i ndán dó siúl tríd an domhan — mo ghéarghoin! — agus a bheith ag amharc rudaí ná fuil aon dul aige orthu, cé go bhféadfadh sé a chion díobh a bheith aige an fhaid a bhí sé ina bheatha, agus sólás a bhaint astu."

Lig an taibhse liú eile as, agus chroith sé a shlabhra, agus shníomh sé a bhosa spioradúla.

"Tá tú ceangailte," arsa Scrúg, ag crith le heagla. "Cad chuige?"

"Táim ag caitheamh an tslabhra a chumas féin agus mé i mo bheatha," arsa an spiorad. "Chumas féin é, orlach ar orlach, agus slat ar shlat. Chrioslaíos mé féin leis le mo shaorthoil féin, agus is le mo shaorthoil a chuireas orm é. An iontach leat an chuma atá air?"

Chrith Scrúg níos mó ná riamh.

"Nó ar mhaith leat fios a bheith agat ar throime is faid an tréanslabhra atá chaitheamh agat féin? Bhí sé chomh trom is chomh fada leis seo seacht nOíche Nollag ó shin. Tá tú ag obair air ó shin. Is feillthrom an slabhra é!"

Thug Scrúg súilfhéachaint ina thimpeall ar an urlár, ag brath go mbeadh caoga nó seasca feá de chábla iarainn ina thimpeall, ach ní fhaca sé aon ní.

"A Iacóib!" ar seisean, ag achairt air, "a shean-Iacóib Meárlaí, inis a thuilleadh dom! Gríosaigh chun misnigh mé, a Iacóib!"

"Níl aon mhisneach agamsa le cur ort," arsa an spiorad. "Tagann siúd ó áiteanna eile, a Eibinéasair Scrúg, agus faightear é ó theachtairí eile, agus ní hionann tusa agus na daoine a bhfuil sé ina gcomhair. Fiú amháin, níl neart agam an méid ba mhaith liom a insint duit. Níl neart agam stad ná fanúint, ná líodráil in aon bhall. Níor shiúil mo spiorad riamh thar iamh ár dtí cuntais — éist liom — an fhaid a bhíos i mo bheatha níor shiúil mo spiorad riamh thar theorainn chúng ár bpoill airgid féin, agus is tuirsiúil na turais atá romham!"

Bhí sé mar bhéas ag Scrúg, nuair a thagadh tocht machnaimh air, a lámha a shá isteach i bpócaí a bhríste. Ag smaoineamh anois dó ar a ndúirt an spiorad, rinne sé an cleas céanna, ach gan a shúile a ardú ná éirí óna ghlúine.

"Ní foláir duit a bheith an-mhall ar an mbóthar, a Iacóib," arsa Scrúg, mar a déarfadh fear gnó, ach is umhal agus is urramach a labhair sé ar a shon sin féin.

"An-mhall," arsa an spiorad, ag aithris air.

"Marbh le seacht mbliana," arsa Scrúg, faoi mar a bheadh sé ag machnamh, "agus a bheith ar an mbóthar an aimsir sin ar fad?"

"An aimsir ar fad," arsa an spiorad "gan sos, gan suaimhneas. Crá na haiféala orm gan faoiseamh."

"Agus an siúlann tú go tapa?" arsa Scrúg.

"Le sciatháin na gaoithe," arsa an spiorad.

"D'fhéadfá mórán den bhóthar a chur díot i rith seacht mbliana," arsa Scrúg.

Ar chloisint sin don spiorad lig sé liú eile as, agus bhain fothram as a shlabhra chomh huafásach sin, in am marbh na hoíche, nár mhiste don gharda é a bhreith os comhair an bhinse ar son a mhí-iompair.

"Ó, a gheimhligh!" arsa an taibhse, "is fáiscthe, ceangailte go dúbailte le hiarnaí atá tú, agus gan a fhios a bheith agat go gcaithfidh créatúir neamhdhaonna saolta de shaothar gan faoiseamh ar son an domhan seo a dhul anonn go dtí an tsíoraíocht sula bhfaighfear a chuid maitheasa go léir as. Gan a fhios a bheith agat dá n-oibreodh spiorad Críostaí go cairdiúil ina shlí bheatha féin, cibé an tslí í sin, go mbeadh a shaol daonna róghearr chun go mbeadh de mhaitheas ina chumas a dhéanamh! Agus gan a fhios a bheith agat ná déanfadh spás aiféala, dá fhad é, cúiteamh ar bheatha a bheadh curtha chun droch-chríche. Ach b'in é mo dhála-sa! B'in é mo dhála-sa!

"Ach bhí tú i do fhear maith gnó i gcónaí, a Iacóib," arsa Scrúg, agus a chaint ag leathadh air, óir bhrath sé gur thagair an scéal seo dó féin.

"Gnó," arsa an spiorad, ag sníomh a bhosa. "An cine daonna, ba iad sin mo ghnó. Ba é mo ghnó maitheas a dhéanamh do mo chomhchréatúir. Carthanacht, trócaire, fadfhulaingt, daonnacht, ba iad sin uile mo ghnó. Ní raibh i gcúrsaí m'oifige, i measc mo chuid gnóthaí ar fad, ach faoi mar a bheadh braon uisce i lár na farraige."

"D'ardaigh sé suas a shlabhra ina dhorn, lena lámh sínte amhail is dá mba é sin cúis a chumha go léir gan bhrí, agus chaith sé le mórthorainn ar an talamh arís é.

"Um an dtaca seo de bhliain," arsa an taibhse, "is ea is mó a chéastar mé: Cad chuige ar shiúlas trí shluaite de mo chomhchréatúir, agus mo shúile ag féachaint ar an talamh, agus gan iad a ardú fiú aon uair amháin go dtí an Réalta Bheannaithe úd a stiúir na Ríthe Naofa go háras dealbh? Ná raibh aon tithe dealbha go stiúrfaí mise chucu lena cuid solais?"

Tháinig mór-anfa ar Scrúg ag éisteacht leis an taibhse ag cur de sa tslí seo, agus chuaigh sé i gcreatha neamhchuibhreacha.

"Éist liom," arsa an spiorad, "ní mór ná go bhfuil deireadh le mo ré."

"Éistfead," arsa Scrúg, "ach ná bí docht orm! Ná labhair i bhfíoraí, a Iacóib, más é do thoil é."

"Ní thig liom a insint cad chuige a bhfuilim os do chomhair anseo i gcruth sofheicthe. Is minic, is rómhinic lá a shuíos go dofheicthe le d'ais."

Níorbh áthasach an rud cuimhneamh air sin, agus tháinig ballchrith ar Scrúg, agus thriomaigh sé an t-allas a bhí ar a ghruanna.

"Ní hé sin an chuid is éadroime de mo phianta," arsa an spiorad, "agus is é a thug anseo anocht mé chun fógartha duitse go bhfuil dul fós agat ar an íde a fuaireas-sa a sheachaint, agus is mise féin a chuir an chomaoin sin ort, a Eibinéasair."

"Bhí tú i do chara maith dom i gcónaí," arsa Scrúg, "go raibh maith agat."

"Beidh triúr spiorad do do shíor-éileamh," arsa an taibhse.

Thit gnúis Scrúig an oiread nach mór agus a thit gnúis na taibhse.

"An é sin an dul atá agam fós, dar thagair tú?" ar seisean, agus a chaint ag leathadh air.

"Is é."

"Is ... is dóigh liom go mb'fhearr liom uaim iad," arsa Scrúg.

"Gan a gcuairt ort," arsa an taibhse, "ní bheidh neart agat m'íde-se a sheachaint. Bíodh coinne agat leis an gcéad cheann amárach nuair a bhuailfeas an clog a haon."

"Ná féadfainn iad a dtriúr a ghlacadh in éineacht, a Iacóib," arsa Scrúg go ciúin, "agus a bheith réidh leo?"

"Bíodh coinne agat leis an dara ceann an oíche ina dhiaidh sin, ar an uair chéanna. Bíodh coinne agat leis an tríú ceann an oíche ina dhiaidh sin arís, nuair a bheidh an buille déanach don dó dhéag buailte, agus a chreathanna imithe as éisteacht. Ná bí ag brath ar radharc a fháil ormsa níos mó, agus, ar mhaithe leat féin, ná dearmad an méid seo a tharla eadrainn."

Tar éis na bhfocal sin a rá dó thóg an taibhse a bhanda ón mbord, agus cheangail a cheann faoi mar a bhí ar dtús. D'aithin Scrúg go ndearna sé an ní sin ar ghéardhíoscán a chuid fiacla nuair a dhruid an banda an giall leis an taobh uachtarach dá bhéal. Bhí sé de mhisneach air a shúile a ardú arís, agus b'in é an cuairteoir ón saol eile os a chomhair, ina lánseasamh, a shlabhra ar a chuisle aige agus é casta ina thimpeall.

Shiúil an taibhse uaidh i ndiaidh a dhroma agus, le gach aon choiscéim a thugadh sé, ardaíodh an fhuinneog beagáinín, i dtreo go raibh sí ar deargleathadh nuair a shroich sé í. Bhagair sé chun Scrúig dul faoina dhéin agus ghéill Scrúg dó. Nuair a bhíodar i ngiorracht a dó nó a trí choiscéim dá chéile, d'ardaigh spiorad Mheárlaí a lámh á fhógairt dó gan teacht níos gaire, agus stad Scrúg.

Ach ní le humhlaíocht ach le huamhan agus le hionadh a stad sé mar, ar ardú na láimhe, d'airigh sé fuaimeanna achrainn san aer, uailleacha fiáine caointe is cathaithe, brónghol éigneacha croí-bhrú thar barr. D'éist an taibhse ar feadh nóiméid leo, is ansin scinn sé amach go heiteallach faoi dhorchadas fuarsceirdiúil na hoíche.

Lean Scrúg go dtí an fhuinneog é go bhfeicfeadh sé cad a bhí ar siúl. Ní fhéadfadh sé cosc a chur leis féin, agus d'fhéach sé amach.

Bhí an t-aer lán de thaibhsí, agus iad ag imeacht ar fán anonn is anall le mire gan faoiseamh, agus ag cneadach leo. Bhí slabhra ar gach ceann acu, mar a bhí ar spiorad Mheárlaí. Bhí beagán díobh ceangailte dá chéile (b'fhéidir gur rialtais chiontacha iad sin). Ní raibh éinne gan a shlabhra. Bhí seanaithne ag Scrúg ar chuid mhaith díobh nuair a bhíodar ina mbeatha. Bhí caidreamh maith aige ar aon seanspioraid amháin a raibh a veist bhán air, agus cófra daingean róthrom iarainn ceangailte dá rúitín, agus é ag caí go héigneach nuair ná raibh sé ina chumas cabhrú le bean bhocht shingil ag a raibh naíon, rud a chonaic sé thíos uaidh os comhair dorais. Ba léir gurbh é a bhí mar dhonas orthu ar fad go rabhadar ag iarraidh maitheas a dhéanamh do na daoine, ach ní raibh sé ina gcumas a thuilleadh.

Ní raibh a fhios aige cé acu ar leádh na taibhsí seo i gceo, nó ar chlúdaigh an ceo iad. Ach d'imíodar féin agus a ngnóthaí spioradúla in éineacht, agus níor fhan san oíche ach faoi mar a bhí sí agus é ag siúl abhaile.

Dhún Scrúg an fhuinneog agus d'iniúch an doras trínar tháinig an spiorad isteach. Bhí glas air, óir chuir sé an glas air lena lámha féin, agus bhí na boltaí gan corraí. Thug sé iarracht ar "Díth céille!" a rá, ach stad sé ag an gcéad siolla, agus ó theastaigh suaimhneas go mór uaidh, leis na cathuithe inar cuireadh é, nó le tuirse an lae, nó leis an mionradharc a fuair sé ar an saol dofheicthe, nó le comhrá doilbh an spioraid, nó le déanaí na hoíche, chuaigh sé láithreach chun leapa, agus thit a choladh air gan mhoill.

AN DARA RANN

An Chéad Cheann de na Trí Spioraid

Nuair a dhúisigh Scrúg agus a d'fhéach sé amach ón leaba, bhí sé chomh dorcha sin gurbh ar éigean a d'aithneodh sé an fhuinneog a dtéann an solas tríd ó bhallaí doiléire a sheomra. Bhí sé ag iarraidh féachaint tríd an dorchadas lena shúile cait, nuair a bhinnbhuail cloig teampaill a bhí ina chomharsnacht na ceithre ceathrúna. Agus dá bhrí sin, d'fhan sé ag feitheamh go mbuailfí uair an chloig.

Bhí ard-ionadh air nuair a ghluais an tromchlog ar siúl óna sé go dtí a seacht, agus óna seacht go dtí a hocht, agus dá réir sin suas go dtí a dó dhéag. Stad sé ansin. An dó dhéag! Bhí sé tar éis an dó nuair a chuaigh sé a chodladh. Bhí an clog ar seachrán. Is amhlaidh a chuaigh coinnlín reo in achrann ina ionathar. An dó dhéag!

Chuir sé a mhéar ar phreabán a athbhuailteora d'fhonn an clog áiféiseach seo a cheartú. Bhuail a chuisle bheag sin an dó dhéag go rómhear, agus ansin stad sí.

"Ar ndóigh," arsa Scrúg, "ní féidir gur chodlaíos lá ar fad agus i bhfad isteach in oíche eile. Ní féidir gurb amhlaidh a d'imigh aon ní ar an ngrian, agus gurb é seo an dó dhéag meán lae!"

Chuir an smaoineamh sin eagla air, agus shleamhnaigh sé amach as a leaba agus chuardaigh sé a shlí go dtí an fhuinneog. Sular thig leis aon ní a fheiscint, b'éigean dó an sioc a chuimilt di le muinchille a ghúna tí, agus is beag a d'fhéadfadh sé a fheiscint mar sin féin. Níor thig leis a dhéanamh amach ach go raibh sé ancheomhar is feillfhuar fós, agus ná raibh aon fhothram ag daoine ag rith anseo is ansiúd ar léirmhearbhall, mar a bheadh go cinnte dá mbeadh an oíche tar éis ruaig a dhéanamh ar an lá geal, agus í féin a shocrú i seilbh an domhain. Ba mhór an fhóirithint an méid sin, óir dá mba rud é ná beadh laethanta le comhaireamh, ní bheadh níos mó ná banna gan fiúntas i bpáipéar dá leithéid seo: "Trí lá tar éis é seo a fheiscint, an Chéad den Mhargadh Airgid, tabhair don duine uasal Eibineásar Scrúg, nó dá ordú," agus mar sin de.

Chuaigh Scrúg a chodladh arís, agus mhachnaigh is mhachnaigh is léirmhachnaigh ar an ní seo, agus níorbh fhéidir leis í a mhíniú. Mar is mó a mhachnaigh sé, is ea is mó a thagadh mearbhall air; agus mar is mó a thugadh sé iarracht ar mhachnamh a sheachaint, is ea is mó a mhachnaíodh sé.

Chuir spiorad Mheárlaí an-mhearbhall ar fad air. I gcónaí nuair a cheapadh sé ina aigne féin, tar éis mionscrúduithe, ná raibh ann ach taibhreamh, d'fhilleadh an aigne aige uirthi féin arís mar a d'fhillfeadh preabán a mbogfaí de, agus chuirtí an cheist chéanna chuige le réiteach, "An taibhreamh é?"

D'fhan Scrúg ina luí ar an gcuma seo gur bhuail an clog trí cheathrú eile, nuair a chuimhnigh de gheit gur fhógair an spiorad dó go dtiocfadh taibhse á fhiosrú ar bhualadh uaire a haon. Is í comhairle a cheap sé ná fanúint mar a raibh aige ina dhúiseacht go dtí tar éis an ama sin, agus óir nárbh fhéidir leis codladh ach chomh beag is ab fhéidir leis dul ar Neamh, ní dóigh go raibh comhairle ní ba chiallmhaire le ceapadh aige.

Bhí an fhaid sin sa cheathrú gur shíl sé, agus níorbh aon uair amháin leis é, gur thit néal codlata air i ngan fhios dó, agus go raibh an clog tar éis buailte. Faoi dheireadh, ag seo a chuid fuaime timpeall ar a chluasa!

"Fut, fat!"

"Sin ceathrú," arsa Scrúg.

"Fut, fat!"

"An leathuair!" arsa Scrúg.

"Fut, fat!"

"Ceathrú chun na huaire," arsa Scrúg.

"Fut, fat!"

"An uair go beacht," arsa Scrúg go háthasach, "agus sin a bhfuil!"

Labhair sé an méid sin sular bhuail an clog an uair — ach sin é anois é ag bualadh a haon, le fuaim dhomhain bhalbh dhoilbh dhúbhrónach. Láithreach gheal an seomra le solas, agus tarraingíodh siar cuirtíní na leapa.

Tarraingíodh siar cuirtíní a leapa le lámh, a deirim leat. Ní hiad na cuirtíní a bhí ag a chosa a tarraingíodh, ná na cuirtíní a bhí ag a dhroim, ach na cuirtíní a raibh a aghaidh leo. Tarraingíodh siar cuirtíní a leapa, agus phreab Scrúg ar a leataobh, agus chonaic sé os a chomhair a fhiosraitheoir neamhdhaonna a tharraing iad, agus é chomh hachomair dó is atá mise duitse anois, agus mé i mo sheasamh ag d'uillinn i m'aigne féin.

B'ait é a chruth. Ba chosúil le leanbh é, ach ba chosúla le seanduine é a d'amharcfaí le neart neamh-dhaonna, i dtreo gur dhóigh leat gur scinn sé fad do radhairc uait, agus nár fhan ann ach toirt linbh. Bhí a ghruaig ag titim ar a mhuineál agus síos ar feadh a dhroma, agus í bán, mar a déarfá, le haois; ina dhiaidh sin ní raibh filltín ar a ghnúis, agus ba úrlonrach é a chneas. Bhí a rí fada teann, faoi mar a bheadh neart neamhghnách ina ghlac. Bhí a chosa agus a throithe go róchumtha agus iad lomnochta, ar nós na mball uachtarach. Bhí brat ró-ghléigeal air, ach bí crios lonrach timpeall an choim aige, óna raibh taitneamh álainn. Bhí craobh de ghormchuilinn ina ghlac agus, faoi mar a déarfadh sé i gcoinne an chomhartha gheimhriúil sin, bhí a bhrat slachtaithe le bláthanna samhraidh. Ach ba é an rud ab iontaí a bhain leis, néal geal lonrach solais a bheith ag gluaiseacht ó mhullach a chinn, lena bhféadfaí na nithe seo ar fad a fheiscint agus, dá bhrí sin, nuair a thagadh laige air bhíodh múchtóir mór air mar chaipín, agus bhí sé anois faoin ascaill aige.

Ach níorbh é seo an ní ab aite a bhain leis nuair a d'iniúch Scrúg é go buansocair, óir, má bhí a chrios ar lasadh is ag lonrú anseo is ansiúd, agus an áit chéanna ag dul i ngile is i ndorchadas i ndiaidh a chéile, bhíodh sé féin ag athrú a chrutha go coitianta ar an gcuma chéanna. Tráth, bhíodh sé ar leathrí; tráth eile, bhíodh sé ar leathchos, arís bhíodh fiche cos faoi; arís eile ní raibh ann ach dhá chos gan cloigeann; agus fós bhíodh sé ina chos gan cloigeann. De na baill soleáta sin ní fhanadh ruainne le feiscint le neart an dúrdhorchadais inar slogadh iad. Ach in ainneoin sin ar fad, seo arís é mar a bhí sé ar dtús, chomh soiléir, sofheicthe is a bhí riamh.

"An tusa an taibhse a bhí le teacht do m'fhiosrú, mar a dúradh liom?" arsa Scrúg.

"Is mé!"

Ba bhog, caoin é a ghuth, agus chomh ciúin sin gur dhóigh leis go raibh sé i bhfad uaidh, cé go raibh sé buailte suas leis.

"Cé thú féin, nó cad é thú?" arsa Scrúg.

"Is mise Spiorad na Nollag atá Imithe."

"Imithe le fada, an ea?" arsa Scrúg, ag tabhairt a dheilbhín shuaraigh faoi ndeara.

"Ní hea. Do chuid Nollagsa."

Ní dóigh go bhféadfadh Scrúg fáth an scéil a fhoilsiú dá bhfiafródh éinne de é, ach bhí ardfhonn air an spiorad a fheiscint faoina chaipín, agus d'impigh sé air a ceann a chlúdach.

"Cad é sin ar siúl agat?" arsa an spiorad, an amhlaidh a mheasann tú an solas a thugaim uaim a mhúchadh le do lámh shaolta? Ní beag duit gur ceann de na daoine thú a rinne an caipín seo lena n-ainmhianta, agus a chuireann d'fhiacha orm é a leagan anuas ar m'uisinn le mórán bliain."

D'fhreagair Scrúg go hurramach nár mhian leis a bheith maslach in aon chor, agus ná raibh aon chuimhne aige gur chuir sé caipín ar cheann an spioraid aon tráth dá shaol. Ansin, le dánacht air, d'fhiafraigh sé de cad a thug ansin é.

"Ar mhaithe leatsa," arsa an spiorad.

Ghabh Scrúg a bhuíochas, ach is é a bhí ina aigne gur mhó an maitheas a dhéanfadh oíche shámh-chodlata dó. Ní foláir ná gur airigh an spiorad ag smaoineamh é, mar dúirt sé láithreach:

"Chun tú a chur ar bhóthar do leasa, mar sin. Tabhair aire!"

Ag rá sin dó, shín sé amach a theannlámh, agus rug go cneasta ar chuisle air.

"Éirigh! Agus gluais liom!"

Ní bheadh aon mhaitheas do Scrúg a rá nárbh í an uair ná an uain í chun siúlóide, go raibh an leaba teasaithe, agus go raibh an teasmhéadar i bhfad faoi bhun líne an tseaca, ná raibh d'éadach air ach slipéir is gúna is caipín oíche, agus go raibh slaghdán an tráth sin air. Cé go raibh an bharróg a rugadh air chomh cneasta le barróg ó lámh mná, níorbh fhéidir dul ina choinne. D'éirigh sé, ach nuair a chonaic sé go raibh an spiorad ag déanamh ar an bhfuinneog, rug sé ar a bhrat, ag achairt air:

"Duine daonna is ea mé," arsa Scrúg. "Is amhlaidh a thitfinn."

"Teagmhóidh mo lámh leat ansin," arsa an spiorad, ag cur a láimhe ar a chroí, "agus ní mar seo amháin a sheasfar leat."

Iar rá na bhfocal sin, chuadar tríd an talamh, agus sheasadar ar mhaolbhóthar tuaithe mar a raibh páirceanna ar gach taobh de. Bhí an chathair as radharc ar fad, agus ní raibh a rian le feiscint. D'imigh an dorchadas agus an ceo ina theannta mar gur lá géar glan geimhridh a bhí ann, agus bhí sneachta ar an talamh.

"A Mhuire na bhFlaitheas!" arsa Scrúg, agus é ag sníomh a bhos. "Is anseo a tógadh mé. Bhíos anseo i mo gharsún!"

D'fhéach an spiorad go cneasta air. Cé gurbh éadrom, móimintiúil an teagmháil shéimh úd, ba dhóigh leis an seanduine ná raibh sé imithe fós. Mhothaigh sé míle boladh leata san aer mórthimpeall, agus gach boladh díobh á chur ag smaoineamh ar mhíle dóchas nó áthas, nó cúram a bhí le fada riamh imithe as a chuimhne.

"Tá do bhéal ar léirchrith," arsa an spiorad, "agus cad é sin ar do ghrua?"

D'fhreagair Scrúg, agus leathadh neamhghnách ar a chaint, gur ghoirín a bhí air, agus d'impigh ar an spiorad é a stiúradh cibé áit ba mhaith leis.

"An cuimhin leat an tslí?" arsa an spiorad.

"An cuimhin liom í?" arsa Scrúg. "Shiúlfainn í agus mo shúile dúnta!"

"Nach iontach í a bheith ar do chuimhne chomh fada sin," arsa an spiorad. "Téanam ort."

Shiúladar leo an bóthar, agus bhí cuimhne ag Scrúg ar gach geata is cuaille is crann, go bhfacadar uathu sráidbhaile beag margaidh a raibh droichead is teampall ann, agus an abhainn ag cúrsáil lena ais. Bhí roinnt capaillíní gruagacha ag déanamh orthu ar sodar, agus garsúin ar a muin agus iad ag caint go hardghuthach le garsúin eile a bhí i gcarranna tuaithe is i dtrucailí, agus feirmeoirí á dtiomáint. Bhí na garsúin seo go léir go hardmhisniúil ag liúradh ar a chéile, i dtreo gur líon ceol soilbhir na leathpháirceanna agus gur gháir an géar-aer ar a chloisint dó.

"Níl iontu seo ach scáthanna na rudaí atá imithe," arsa Scrúg. "Ní mhothaíonn siad sinne in aon chor."

Bhí na bóithreoirí soilbhre ag déanamh faoina ndéin. Bhí aithne ag Scrúg ar gach duine acu agus ghlaoigh sé a n-ainmneacha go léir. Cad í an chúis go raibh áthas thar barr air iad a fheiscint? Cad í an chúis gur las a sheanrosc, agus gur phreab a chroí le háthas nuair a d'airigh sé iad ag rá "Nollaig shúgach!" lena chéile, agus iad ag scaradh le chéile ag na crosbhóithre is na lánaí le dul abhaile. Cad é an bheann a bhí ag Scrúg ar Nollaig shúgach? Greadadh choíche mar Nollaig shúgach! Cad an maitheas a rinne sí riamh dósan?

"Níl an scoil tréigthe ar fad," arsa an spiorad. "Tá páiste aonair ann fós ar thréig a mhuintir é."

Dúirt Scrúg go raibh a fhios aige, agus lig sé osna as.

D'fhágadar an bóthar leathan agus chuadar suas lána a raibh seanchuimhne ag Scrúg air, agus is gearr gur thángadar go mórtheach déanta de bhrící rua. Bhí cloigtheach beag os a chionn in airde, coileach gaoithe os a chionn sin arís agus clog ar crochadh istigh ann. Bhí an teach mór, fairsing, ach bhí sé dealbh, neamhshéanmhar, mar is beag an úsáid a dhéantaí de na cúltithe fairsinge; bhí a mballaí fliuch, agus caonach orthu. Bhí a gcuid fuinneog briste agus a gcuid geataí meata. Bhí cearca ag glagarnach agus ag siúl sna stáblaí, agus bhí féar ag fás ar urláir na dtithe cóistí agus na bhfalach. Ní mó den tseanmhaorgacht a bhí air laistigh mar, ag dul isteach sa doilbh-halla dóibh, agus ag tabhairt súilfhéachana trí na doirse a bhí ar leathadh, ag féachaint dóibh ar a lán de na seomraí, is amhlaidh a bhíodar nochta, fuar, neamhsheascair. Bhí boladh na cré san aer agus loime cuisniúil san áit a chuirfeadh i gcuimhne duit, ar chuma éigin, iomarca airneáin is easpa bia.

Chuaigh Scrúg agus an spiorad trasna an halla go doras a bhí ar chúl an tí. D'oscail an doras de féin rompu isteach ar sheomra fada lom doilbh a d'fhéach ní ba dhoilbhe an uair seo, de bhrí go raibh suíochán agus formaí darach i ndiaidh a chéile ann. Ar cheann acu seo bhí garsún aonair ag léamh dó féin le hais lasóigín tine. Shuigh Scrúg ar fhorma agus tháinig tocht goil air nuair a chonaic sé é féin mar a bhíodh sé fadó, agus gan cuimhne ag éinne air.

Gach macalla dodhúisithe sa teach, gach glaimín is uallfairt ag lucha taobh thiar de na cláracha, gach braonsileadh ón bhfeadán uisce leathshioctha a bhí ina sheasamh sa chlós doilbh amuigh, gach osna i measc ghéaga na poibleoige dúbhaí aonair, gach dúnadh díomhaoin isteach is amach ag doras na hearralainne foilmhe, gach cnagarnach sa tine — ní raibh ceann díobh seo nár bhog croí Scrúig agus nár ghríosaigh é go faíoch chun deoirshilte.

Rug an spiorad ar a rí, agus dhírigh sé a fhéachaint air féin mar a bhíodh sé ina óige, ag léamh go dúthrachtach. De gheit, taobh amuigh den fhuinneog sheas fear a bhí gléasta ar nós eachtrannaigh, é le feiscint go soiléir, tua sáite ina chrios, agus ar srian aige bhí asal agus ualach adhmaid air.

"Muise, murab é Alí Bába atá ann," arsa Scrúg go scleondrach. "Is é Alí Bába bocht cneasta féin é. Sea, sea, tá a fhios agam. Aon Nollaig amháin nuair a fágadh an páiste aonair úd thall anseo gan duine ina theannta, *tháinig* sé, an chéad uair, mar sin díreach. An garsún bocht! Agus Vailintín," arsa Scrúg, "agus Orson, a dheartháir fiáin. Siúd ag gluaiseacht iad! Agus é siúd, a ligeadh anuas ina chodladh agus gan air ach bríste, ag geataí na Damaisce — ná feiceann tú é? Agus buachaill capaill an tSultain, é iontaithe cosa ar uachtar ag na Géiní — sin é ina sheasamh ar a cheann é! A chonách sin air. Tá áthas ina thaobh orm. Cad é an gnó a bhí aige sin an Banfhlaith a phósadh!"

Bheadh ionadh ar a chompánaigh ghnó sa chathair dá mbeidís ag éisteacht le Scrúg ag labhairt de ghuth éigin éachtach, idir gol is gáire, le díograis a chléibh ar nithe don saghas sin, agus dá bhfeicidís an aghaidh ata aigeanta a bhí air.

"Sin í an phearóid!" arsa Scrúg. "Corp uaine agus eireaball buí, agus rud éigin i bhfoirm lusa ag fás as mullach a cinn. Sin í í! A Roibin Chrúsó bhoicht, a ghlaoigh sé air nuair a d'fhill an fear tar éis dul i mbád mórthimpeall an oileáin dó. A Roibin Chrúsó bhoicht, cá raibh tú, a Roibin Chrúsó? Shíl an fear gur ag taibhreamh a bhí sé, ach níorbh ea. Ba í an phearóid í, tá a fhios agat. Sin é Fridé ag teitheadh leis féin go dtí an góilín! Haló! Hó! Haló!"

Ansin, ag breith ar smaoineamh eile le mire nár

tháthaigh sé, dúirt sé le truamhéala don chruth a bhí air féin i bhfad ó shin, "An buachaill bocht," agus leis sin ghol sé arís.

"B'áil liom," arsa Scrúg faoina fhiacail, ag cur a láimhe ina phóca, tar éis a shúile a thriomú lena chufa, "ach tá sé déanach anois...."

"Cad atá ort?" arsa an spiorad.

"Níl aon ní," arsa Scrúg. "Pioc. Bhí laoi Nollag á rá ag garsún ag mo dhoras aréir. B'áil liom rud éigin a bheith tugtha agam dó, sin a bhfuil."

Chuir an spiorad smiota gáire as, go machnamhach, agus bhagair sé a lámh, ag rá. "Feicim Nollaig eile!"

Ar na focail seo chuaigh Scrúg — faoi mar a bhí sé fadó — i méid, agus chuaigh an seomra beagán i ndorchadas agus i salachar. Chrap cláir na mballaí, chnag na fuinneoga, thit blúirí de mhoirtéal ón bhfraigh, agus bhí na trasnáin nochta le feiscint ina ionad. Ní raibh a fhios aige ach go raibh an scéal mar sin, go raibh gach ní mar a insítear, agus gurb in é ansin é féin ina aonar nuair a bhí an chuid eile de na buachaillí imithe abhaile go meidhreach i gcomhair na laethanta saoire.

Ní raibh sé ag léamh anois, ach ag siúl síos suas go héadóchasach. D'fhéach Scrúg ar an spiorad, ag croitheadh a chinn go dobrónach, agus thug sé súilfhéachaint mhífhoighneach ar an doras.

Osclaíodh an doras, agus isteach de gheit le cailín beag, i bhfad ní b'óige ná an buachaill. Chuir sí a dhá lámh timpeall ar a mhuineál, phóg is phóg é, agus ghlaoigh sí a 'dheartháir fhíorghrách' air.

"Tháinig mé chun tú a bhreith abhaile, a dheartháir, a chara," arsa an páiste, ag bualadh a bheagbhos le háthas agus ag cromadh síos chun gáire. "Chun tú a bhreith abhaile, abhaile, abhaile!"

"Abhaile, a Fhainín?" arsa an buachaill.

"Sea," arsa an páiste, lán de mheidhir, "abhaile ar fad. Abhaile go deo arís. Is grámhaire a bhíonn m'athair anois go mór ná mar a bhíodh sé, i dtreo gur geall le Neamh ár mbaile. Labhair sé chomh cneasta sin liom aon oíche gheal amháin agus mé ag dul a chodladh, ná raibh eagla orm iarraidh air aon uair amháin eile an ligfí duit teacht abhaile. Agus dúirt sé go ligfí, agus chuir sé mise anseo le cóiste le tú a bhreith abhaile. Agus beidh tusa i d'fhear!" arsa an páiste, ag leathadh a súl, agus ní thiocfaidh tú anseo a thuilleadh. Ach, ar dtús, beimid in éineacht i rith na Nollag go léir, agus beidh ardmheidhir ar fad orainn."

"Is bean ar do chosa thú, a Fhainín," arsa an buachaill go háthasach.

Bhuail sí a bosa le meidhir, agus gháir sí, agus thug sí iarracht ar lámh a chur ar a cheann, ach, ó bhí sí róbheag, is amhlaidh a gháir sí arís, agus sheas ar a barraicíní d'fhonn dlúthú leis. Ansin chrom sí ar é a tharraingt go dtí an doras le díograis leanbaí, agus is go fonnmhar a chuaigh seisean in éineacht léi.

Scread guth uafásach sa halla agus dúirt, "Tabhair

anuas ansin bosca Scrúig uasail!" Agus b'in é an máistir scoile féin sa halla ag gearrfhéachaint ar Scrúg le cneastacht fhíochmhar, agus is mór a chuir sé trína chéile é, thug sé a leithéid sin do chroitheadh lámh dó. Ansin thóg sé é féin agus a dheirfiúr go togha an pharlúis, agus ní fhacthas riamh a leithéid de pharlús. Bhí na léarscáileanna ar an mballa, agus na cruinneoga domhanda is neamhaí ina gcéir le fuacht. San áit seo tharraing sé chuige pota d'fhíon a bhí feill-éadrom, agus scor de chíste a bhí feilltrom, agus riar cuid de seo ar an aos óg. San am céanna chuir sé amach seirbhíseach lom chun gloine 'de rud éigin' a tharraingt don tiománaí. D'fhreagair seisean, ag tabhairt a bhuíochas don duine uasal, agus ag rá go mb'fhearr leis gan é a bhac, dá mba rud é gurb é an saghas céanna é is a fuair sé cheana uaidh. Ó bhí bosca Scrúig óig anois ceangailte do bharra an chóiste, d'fhág na páistí slán ag an máistir go róthoiliúil, agus isteach leo sa chóiste agus síos an gairdín mórthimpeall leo go scléipeach, agus raid na mear-rothaí an liath-reo is an sneachta ó dhuilleoga na dtor síorghlas mar chumharfhras na bóchna.

"Bhí sí riamh ina créatúr bocht leice, agus ba dhóigh leat go bhfeofadh puth anála í," arsa an spiorad. "Ach bhí croí fairsing aici!"

"Bhí sin aici, gan amhras, "arsa Scrúg. "Tá an ceart agat, a spioraid, ní déarfaidh mé i do choinne, nár lige Dia go ndéarfainn."

“Bhí sí ina bean ag fáil bháis di, agus is dóigh liom go raibh muirín uirthi.”

“Bhí, aon duine amháin,” arsa Scrúg.

“Is fíor duit,” arsa an spiorad. “Do nia!”

Ní róshásta ina aigne a bhí Scrúg, dar leat, agus d’fhreagair sé go hathchomair, “Is ea.”

Cé ná raibh ach nóiméad ó d’fhágadar an scoil, bhíodar i mórshráid ghnóthach chathrach anois, ina raibh daoine ón saol eile ag dul anonn is anall tharstu, agus trucailí agus cóistí taibhseacha ag baint na slí dá chéile, is gach uile fuirse is fothram a mbíonn i bhfíorchathair. B’fhollas ó shlachtú na siopaí gurbh í aimsir na Nollag a bhí anseo arís. Ach bhí an tráthnóna ann, agus bhí soilse ar lasadh sna sráideanna.

Stop an spiorad ag doras earralainne áirithe, agus d'fhiafraigh de Scrúg an raibh aithne aige uirthi.

"An bhfuil aithne agam uirthi!" a dúirt Scrúg. "Ar cuireadh i bprintíseacht anseo mé?!"

Chuadar isteach. Ar amharc seanduine uasal agus peiribhic bhreathnach air ina shuí laistiar de bhord scríbhneoireachta a bhí chomh hard sin go mbuailfeadh sé a cheann ar an bhfraigh dá mbeadh sé dhá orlach ní b'airde, labhair Scrúg go scleondrach os ard.

"Dar fia, is é sean-Fheisibhig atá ann! Mhuise, mo ghraidhin chroí é, is é Feisibhig atá ina bheatha arís againn!"

Lig sean-Fheisibhig a pheann as a lámh, agus d'fhéach sé suas ar an gclog a bhí ag bagairt ar uair a seacht go cruinn. Chuimil sé a bhosa dá chéile, cheartaigh a leathan-vástchóta, gháir a chorp go léir ó bhróga go súile, las sé le ceansacht, agus dúirt, de ghuth seascair caoin sultmhar, "Haló, ansin! A Eibinéasair! A Dic!"

Tháinig an Scrúg a bhí fadó ann isteach, agus é ina ógánach anois, agus a chomhphrintíseach lena chois.

"Dic Vuilcins, gan amhras!" arsa Scrúg leis an spiorad, "Ambaiste féin gurb ea! Bhí Dic an-cheanúil ormsa, mo ghraidhin é, Dic bocht. Ochón! Ochón!"

"Hó-hó! A bhuachaillí," arsa Feisibhig, "Ní bheidh a thuilleadh oibre againn anocht. Oíche Nollag, a Dic. Is í an Nollaig í, a Eibinéasair. Bíodh na comhlaí ar na fuinneoga againn," arsa sean-Fheisibhig, ag bualadh a bhos go géar, "sula mbeadh 'Dónall Cam' ar do bhéal agat!"

Ní chreidfeá mar a luigh an bheirt seo ar an obair. Amach leo ar an tsráid leis na comhlaí — aon, dó, trí — suas leis na comhlaí ina n-ionad féin — ceathair, cúig, sé — daingean, greamaithe acu — seacht, ocht, naoi — agus thar n-ais arís leo, sula mbeifeá ag an dó dhéag, agus saothar orthu mar a bheadh ar chapaill ráis.

"Thuillí-theo!" arsa sean-Fheisibhig, ag sleamhnú anuas ón ardsuíochán le mire iontach. "Glanaigí na troscáin as an áit seo, i dtreo go mbeidh ár ndóthain slí againn! Thuillí-theo! A Dic! Séid suas, a Eibinéasair!"

Na rudaí a ghlanadh! Ní raibh pioc ná glanfaidís, nó ná féadfaidís a ghlanadh, agus sean-Fheisibhig ag faire orthu. Bhí an obair críochnaithe i gceann nóiméid. Aistríodh gach aon bhall troscáin, faoi mar a bheadh sé curtha ar fónamh go deo arís. Scuabadh agus fliuchadh an t-urlár, cóiríodh na lampaí, léirneartaíodh an tine — agus bhí an earralann chomh te, tirim, seascair, solasmhar sin gur bhreá leat mar chúirt rince í oíche gheimhridh.

Seo veidhleadóir isteach agus leabhar ceoil aige, agus suas leis go dtí an suíochán ard. Rinne sé coirm cheoil de, i dtreo go gcuirfeadh a sheinm leathchéad de phianta i do bholg. Seo isteach bean Fheisibhig, agus gan inti ó mhullach talamh ach sméideadh mór feidhmiúil. Seo isteach triúr iníon Fheisibhig go luisneach, grámhar. Seo isteach an seisear ógánach a shlad an croí orthu. Seo isteach gach ógánach is ógbhean a bhí ag obair acu. Seo isteach cailín an tí, agus a chol ceathrair, an báicéir. Seo isteach an cócaire, agus an reachtaire a bhí mar rogha-chara ag a dearthháir. Seo isteach an buachaill seo thall ná fuair go leor le hithe óna mháistir, mar a dúradh, ag iarraidh é féin a cheilt ar chúl an chailín ón tigh ba ghaire dóibh ach aon cheann amháin, an cailín ar shrac a máistreás a cluasa go dearfa. Seo isteach iad i ndiaidh a chéile, cuid acu go cúthail, cuid acu go dána, cuid acu go ciúin, cuid acu go mídheas, cuid acu ag fuirseadh, cuid acu ag sracadh. Isteach leo go léir ar gach aon chuma gurbh fhéidir. Seo leo go léir, fiche lánúin in éineacht, lámha leath-timpeall, agus thar n-ais arís ar an taobh eile. Síos i lár is aníos arís, ag déanamh is ag athdhéanamh buíon cheansa. An tseanlánúin thosaí go síoraí ag dul amú, an lánúin eile thosaí ag gluaiseacht rompu chomh luath is a shroichidís áit áirithe. Gach lánúin ar tosach faoi dheireadh, agus gan aon cheann deiridh chun cabhrú leo. Nuair a bhíodar sa treo seo bhuail sean-Fheisibhig a bhosa ar a chéile agus dúirt sé os ard, d'fhonn deireadh a chur leis an rince, "Go rómhaith!" agus sháigh an veidhleadóir a cheannaghaidh theasaí isteach i bpota leanna a bhí ina chomhair d'aon ghnó. Ach ar theacht amach arís dó gan beann ar fhaoiseamh aige, thosaigh sé arís láithreach baill, cé ná raibh na rinceoirí ann fós, faoi mar a bhéarfaí an veidhleadóir eile abhaile go tnáite ar dhroim comhla, agus gur fear eile eisean a cheap ina aigne é a chur faoi chois ar fad, nó bás a fháil.

Bhí tuilleadh rince acu, agus bhí fíneálacha, agus tuilleadh rince fós. Bhí cístí is pórtfhíon acu, píosa mór feola fuar-rósta agus píosa mór feola fuarbheirthe, agus bhí mionsodóga agus neart leanna acu. Ach tar éis na feola rósta is fuarbheirthe, is ea a bhí an gníomh ar fad, nuair a sheinn an veidhleadóir (Cú Glic, b'in é a ainm, saghas duine ag a raibh fios a ghnó ní b'fhearr ná d'fhéadfaimisne é a mhúineadh dó) nuair a sheinn sé suas, "Sir Roger de Coverlí." Ansin siúd amach chun rince sean-Fheisibhig agus a bhean. Lánúin thosaí leis, agus obair shárdheacair rianta amach dóibh; a trí nó a ceathair is fiche lánúin, daoine nárbh aon dóithíní iad, daoine a raibh *fonn rince* orthu, agus nár mhian leo siúl in aon chor.

Ach dá mbeadh oiread eile acu ann, nó trí oiread eile, bheadh sean-Fheisibhig maith a dhóthain dóibh — agus bean Fheisibhig chomh maith leis. Dála na mná, b'oiriúnach an céile dó í, ar gach aon chuma. Mura ardmholadh an méid sin a rá, abair focal níos treise is déarfadsa i do dhiaidh é. Ba dhóigh leat go raibh solas dearfa ag teacht ó lorgaí Fheisibhig. Ba gheall le dhá ghealach iad ag lonradh i ngach aon aird den rince. Ba dheacair a rá aon nóiméad cá ngabhfaí leo an chéad nóiméad eile. Agus nuair a bhí sean-Fheisibhig agus a bhean tar éis dul tríd an rince ar fad —amach, isteach, an dá lámh do do chéile, sleachtaigh is umhlaigh, scriú coirc, cuir snáithe i snáthaid, agus thar n-ais arís leat go dtí d'ionad féin — ghearr Feisibhig amach; ghearr sé amach chomh deas sin gur dhóigh leat gur bhagair sé lena chosa, agus tháinig sé ar a bhoinn arís go feidhmiúil.

Ar bhualadh an haon déag den chlog is ea a cuireadh deireadh leis an gcoirm rince chairdiúil seo. Sheas Feisibhig agus a bhean, duine acu ar gach taobh den doras, agus chroitheadar lámh gach éinne faoi leith de na daoine agus iad ag gabháil amach, agus dúradar le gach fear is bean acu, "Nollaig shúgach chugat." Nuair a bhí gach éinne imithe ach an dá phrintíseach, dúradar an rud céanna leo sin, agus is mar sin a chiúinigh na guthanna sultmhara sin, agus bhí cead ag na garsúin dul a chodladh, agus chuadar i leaba faoi chuntar sa chúlsiopa.

I rith na haimsire seo go léir, d'iompar Scrúg é féin mar a dhéanfadh fear buile. Bhí a chroí is a aigne sa radharc a chonaic sé, agus ina theannta féin mar a bhí sé fadó. Dheimhnigh sé gach uile ní, bhí cuimhne aige ar gach ní, agus chuir gach ní áthas air, agus cuireadh trí chéile é go hiontach. Go dtí go raibh a gheal-aghaidh féin mar a bhí sé fadó, agus geal-aghaidh Dic iompaithe uaidh, níor chuimhnigh sé ar an taibhse, agus níor aithin sé go raibh sé siúd ag féachaint go cruinn air, agus an solas ar a cheann ar lasadh go róshoiléir.

"Is suarach an rud é a rinne na hamadáin bhochta seo chomh buíoch sin," arsa an taibhse.

"Suarach!" arsa Scrúg, ag baint an fhocail as a bhéal.

Bhagair an spiorad chuige éisteacht leis an mbeirt phrintíseach a bhí ag moladh Fheisibhig go lán-chroíoch, agus tar éis a dhéanta sin dó, dúirt: "Sea, nach ea? Chaill sé beagán punt do bhur n-airgead daonna. A trí nó a ceathair b'fhéidir. Cad é an bhrí an méid sin chun an oiread sin molta a thuilleamh?"

"Ní hé sin amháin," arsa Scrúg, mar chuir an focal sin díograis air, agus labhair sé i ngan a fhios dó féin, mar a labhraíodh sé fadó, agus ní mar a labhraíodh anois. "Ní hé sin amháin, a spioraid, tá neart aige daoine sásta nó míshásta a dhéanamh dínn, obair throm nó éadrom a chur orainn, obair ghrianmhar nó doilbh. Abair gur ina bhriathra is ina fhéachaint atá an neart sin aige, i rudaí chomh beag is chomh suarach sin nach féidir iad a chomhaireamh go cruinn — cad mar gheall air sin? Cuireann sé sonas orainn chomh mór is dá gcaithfí saibhreas leis."

Mhothaigh sé súilfhéachaint an spioraid, agus stad sé.

"Cad atá ort?" arsa an spiorad.

"Níl aon ní, mhuise," arsa Scrúg.

"Is dóigh liom go bhfuil rud éigin," arsa an spiorad, ag déanamh athfhreagartha air.

"Níl," arsa Scrúg. "Níl. Ba mhaith liom go bhféadfainn focal nó dhó a labhairt le mo chléireach ar an nóiméad seo. Sin a bhfuil."

Ar labhairt mar sin dó mhúch sé na lampaí — é féin mar a bhí fadó, agus sheas Scrúg agus an spiorad guala le gualainn arís lasmuigh.

"Is gearr gur mithid domsa a bheith ag imeacht," arsa an spiorad. "Brostaigh!"

Níor dhírigh na focail seo chun Scrúg, ná chun éinne a bhí le feiscint, ach tháinig athrú láithreach ar a son. Mar chonaic Scrúg é féin arís. Bhí sé níos sine anois, fear ab ea é i mbláth na hóige. Ní raibh a ghnúis chomh crua, chomh casta is a bhí nuair a dhruid an aois leis, ach bhí comharthaí cúraim is sainte á dtaispeáint féin inti cheana féin. Ba chíocrach, santach, neamhshocair í féachaint a shúl, agus thaispeáin sí an ainmhian a bhí tar éis a fhréamhaithe, agus an áit mar a thitfeadh scáil an chrainn a bhí ag fás.

Ní ina aonar a bhí sé, ach ina shuí le hais chailín óig spéiriúil ar a raibh brónbhrat. Bhí na deora leis na súile aici, agus bhí lonradh ar na deora sin ón solas a tháinig ó Thaibhse na Nollag a Bhí Imithe.

"Ní haon bhrí é," ar sise go cneasta, "agus is cuma duitse sin. Tá íomha eile i m'ionad, agus má chuireann seo áthas is compord ort feasta, amhail mar a chuirfinnse dá bhféadfainn, ní bheadh aon chúis ghearáin agam.

"Cad í an íomhá atá i d'ionad?" ar seisean.

"Íomhá óir."

"Sin é cothrom an tsaoil," ar seisean. "Níl sé chomh dian ar aon ní is atá sé ar an dealús, agus ní ligeann sé air a bheith i gcoinne aon ní chomh mór is atá sé i gcoinne bhailiú an tsaibhris!"

"Tá an iomarca eagla ort roimh an saol," ar sise go ciúin. "Tá gach uile mhian chroí curtha le chéile sa mhian seo, go mbeifeá bunoscionn lena mhaslú tarscaisneach. D'fhaireas féin gach dea-fhuadar do do fhágáil, i dtreo gur leis an aon ainmhian amháin ar fad tú anois, is é sin an saibhreas. Nach mar sin é?"

"Sea, agus más mar sin féin é?" ar seisean. "Más rud é go bhfuil níos mó céille agam anois, cad mar gheall air sin? Ní aon athrú orm i do thaobhsa."

Chroith sí a ceann.

"An bhfuil?"

"Is fada ó shocraíomar le chéile. Bhíomar araon bocht an tráth sin, agus bhíomar sásta a bheith amhlaidh go dtí go bhféadfaimis dul ar aghaidh i dtráth le neart ár gcríochnúlachta is ár bhfoighne féin. Tá tusa athraithe. Níorbh ionann tú an uair sin is anois."

"Ní raibh ionam ach garsún," ar seisean go mífhoighneach.

"Tá a fhios agat féin i do chroí istigh nach é an fear céanna atá ionat," ar sise, ag déanamh athfhreagartha air. "Ní mar sin domsa. An rud úd a raibh ár gcuid sonais ag brath air nuair ab aon chroí amháin a bhí ionainn, mar a déarfá, níl ann ach ábhar ár ndonais anois ó táimid deighilte ó chéile. Ní inseod a mhinice is a dhéine a rith an smaoineamh seo i m'aigne. Bíodh a fhios agat, áfach, gur tháinig sé i m'aigne, agus go bhféadfaidh mé fuascailt a thabhairt ortsa."

"Ar iarras-sa fuascailt riamh ort?"

"Le briathra! Níor iarr — riamh."

"Conas, mar sin?"

"Le d'athrú ionat féin, le d'athrú i do mheon, le d'athrú saoil, agus mian mhór eile mar bhun aige. Le gach ní faoi ndeara duit meas is fiúntas a bheith agat ar mo ghrá-sa. Mura mbeadh an méid seo riamh eadrainn," arsa an cailín, ag féachaint go cneasta ach, ina thaobh sin, go socair air, "an rachfá do m'éileamh, d'fhonn mé a fháil anois? Ní rachfá, mhuise!"

Ba dhóigh leat gur ghéill sé dá ainneoin go raibh an ceart aici. Ach is é a dúirt sé go haimhleisciúil, "Ní dóigh leat sin."

"Tá a fhios ag an Tiarna gur mhaith liom dá bhféadfainn a mhalairt de bharúil a bheith agam," ar sise. "Tá fios cinnte agam ar neart agus ar chumhacht an fhocail seo tar éis é a fhoghlaim dom. Ach dá mbeifeá réidh inniu, nó amárach, nó inné, an dóigh leat go bhféadfainnse géilleadh go dtógfá cailín gan spré — agus gan meas agat ach ar shaibhreas, fiú amháin nuair a labhraíonn tú léi i rúnchomhairle. Nó dá dtógfá féin í, cuir i gcás go rachfá i gcoinne do chéadfaí féin agus í a thoghadh, ná fuil a fhios agamsa go mbeadh cathú is aiféala ina dhiaidh sin ort go dearfa? Tá a fhios agam, agus fuasclaím duit le saorchroí ar do shon féin faoi mar a bhí tú fadó."

Thug sé iarracht ar labhairt, ach lean sí uirthi, agus a ceann iontaithe uaidh.

"B'fhéidir go gcuirfeadh seo buairt ort, agus is beag nár mhaith liom go gcuirfeadh, mar gheall ar a gcuimhním de na nithe a chuaigh tharainn. I gceann tamaillín cuirfidh tú cuimhne na nithe seo as do cheann go toiliúil, mar a chuirfeá taibhreamh tar éis dúiseachta duit. Séan is sonas ort sa tslí bheatha atá tofa agat."

D'fhág sí é, agus scaradar ó chéile.

"A spioraid," arsa Scrúg, "ná taispeáin a thuilleadh dom. Tionlaic abhaile mé. Cad chuige ar áil leat mé a chéasadh?"

"Aon scáth amháin eile!" arsa an spiorad os ard.

"Ná bac lena thuilleadh!" arsa Scrúg. "Ná bac! Ní maith liom é a fheiscint. Ná taispeáin dom a thuilleadh!"

Ach dhiancheangail an spiorad neamhthruamhéalach a dhá ghéag, agus chuir sé d'fhiacha air aire a thabhairt dá raibh ar siúl ina dhiaidh sin.

Bhíodar in áit eile, agus radharc eile os a gcomhair i seomra ná raibh ró-ard ná ró-álainn. Bhí sé anseascair, áfach. In aice na tine gheimhridh, shuigh cailín óg álainn, a raibh dealramh chomh mór sin aici leis an gceann déanach gur cheap Scrúg gurbh í an ceann céanna í go bhfaca sé *ise* ina bean dhathúil ina suí os comhair a hiníne amach. Bhí fothram uafásach sa seomra seo, mar bhí níos mó leanaí ann ná a d'fhéadfadh Scrúg a chomhaireamh, agus an mearbhall a bhí air, agus — ní dála an tréid úd sa dán — ní dhá fhichid leanbh a bhí ann á n-iompar féin ar nós aon chinn amháin, ach gach leanbh acu á iompar féin mar a d'iompródh dhá fhichid. Bhí a rian air, bhí fothram dochreidte ann, ach níor chuir éinne suim ann. In ionad sin, is amhlaidh a bhain an mháthair agus an iníon mórshult is cúis gháire lánchroíúil as, agus, dála na hiníne, is gearr go raibh sí in achrann sa spórt, agus na foghlaithe óga á léirchreachadh gan truamhéala.

Is maith an rud ná tabharfainn d'fhonn a bheith ina measc. Cé ná faighinn ionam féin a bheith chomh drochmhúinte — sin é ná faighinn! Ar shaibhreas an domhain uile ní bhrúfainn agus ní sracfainn anuas an ghrua fháinneach sin, agus, dála an bhróigín uasail sin — Dia le m'anam — ní bhainfinn di í chun m'anam a shaoradh. Ach a coim a thomhas le neart scléipe, mar a rinne an t-óg-ál dásachtach seo, ní bhfaighinn ionam é a dhéanamh. Bhraithfinn go bhfásfadh mo ghéag ina thimpeall mar dhíoltas, gan dul ar a dhíriú go brách. Ach ina dhiaidh sin is uile, ba ró-áil liom a béal a bhlaiseadh, ceisteanna a chur chuici d'fhonn go n-osclódh sí é. Ba ró-áil liom féachaint ar fhabhraí a súl a bhí dírithe ar an talamh, agus gan náire a chur uirthi, agus slaoda dá ciabh fhionn a scaoileadh — agus gurbh fhiú an domhan uile gach orlach di mar aisce. Gan a thuilleadh a rá, admhaím gur mhaith liom saorchead leanbh a bheith agam, agus a bheith i m'fhear d'fhonn a luach a thuiscint.

Láithreach, áfach, airíodh bualadh ar an doras, agus bhí an oiread sin ag gluaiseacht gan mhoill gur scuabadh ise — sult ina gnúis agus a cuid éadaigh scriosta — i lár mathshlua glórach saothrach faoi dhéin an dorais, díreach mar a bhí an t-athair ag teacht abhaile, agus fear ina theannta a raibh ualach bréagán is tabhartas air. A leithéid de screadach is d'fhuirseadh, ansin an t-amas a tugadh faoin doirseoir gan chosaint! A leithéid de dhul in airde air le

cathaoireacha d'fhonn bagáiste páipéir rua a bhaint de, greim daingean a bhreith ar a charbhat, dlúthú leis timpeall an mhuiníl, a dhroim a léirphlancadh, agus gabháil dá dtroithe sna cosa air le neart ceana nárbh fhéidir a cheilt. Mar bhéicidís le hionadh is le háthas ar leagadh amach gach bagáiste. An ráfla uafásach gur rugadh ar an leanbh agus í ag cur grideall bhréige isteach ina béal, agus go raibh amhras — ní ba mhó ná amhras — gur shlog sí riar cearc fhrancach bhréige a bhí léircheangailte de phláta adhmaid. An sos a fuarthas ar fháil amach ná raibh an scéal mar sin! Ní féidir cur síos ar na nithe go léir, ná ar cheann acu. Ní gá a rá ach gur ghlan na páistí lena gcuid scleondair amach as an bparlús, agus suas an staighre leo — ag comhaireamh a gcoiscéim — go barr an tí, chun codlata — agus chuir sin teora leo.

Agus anois d'fhair Scrúg a raibh ar siúl ní b'airí ná riamh nuair a shuigh fear an tí ina thinteán féin, a iníon ag luí air go ceanúil, agus a máthair ina dteannta. Agus nuair a chuimhnigh sé ar an áthas a bheadh air dá bhféadfadh cailín eile, chomh cumtha is chomh maith léise, athair a ghlaoch air, agus a bheith i bhfoirm earraigh i lár dhoilbhgheimhridh a shaoil, tháinig ardlagachar ar a radharc.

"A Bhella," arsa an fear, ag iompú anonn chun a mhná, agus fáthadh an gháire ar a bhéal, "chonac seanchara leat an tráthnóna seo."

"Cérbh é féin?"

"Tomhais!"

"Níor chás dom! Sea, tá sé agam," san anáil chéanna, agus ag gáire chomh maith leis féin, "Scrúg uasal."

"Scrúg uasal ab ea é. Ghabhas thar fhuinneog a oifige, agus nuair ná raibh sé dúnta, agus go raibh coinneal aige istigh, níorbh fholáir dom é a fheiscint.

Airím go bhfuil a chompánach i riocht bháis, agus b'in é ansin é ina shuí ina aonar. Ina aonar ar fad sa saol seo, is dóigh liom."

"A spioraid," arsa Scrúg, agus a chaint ag leathadh air, "tóg as an áit seo mé."

"Dúras leat gur scáthanna iad seo de na nithe a bhí ann roimhe seo," arsa an spiorad. "Má tá siad amhlaidh ná cuir a mhilleán ormsa."

"Tóg as seo mé," arsa Scrúg. "Ní fhéadfaidh mé cur suas leis!"

D'iompaigh sé ar an spiorad, agus nuair a chonaic sé gur fhéach seisean air agus go raibh ina aghaidh, ar chuma éigin iontach, blúirí de na haghaidheanna go léir a bhí sé tar éis a thaispeáint dó, luigh sé ar fuirseadh leis.

"Fág mé. Tabhair thar n-ais mé! Ná lean díom níos sia!"

San fhuirseadh dóibh — más ceart fuirseadh a thabhairt air mar, cé ná facthas an taibhse ag déanamh cosanta air féin, níor chuir iarrachtaí a namhad aon bhéim air — chonaic Scrúg go raibh a sholas ar lasadh go hard is go gléineach, agus ó bhí amhras éigin aige gur bhain an solas sin leis an ngéilleadh arbh éigean dó a thabhairt dó, rug sé ar an gcaipín múchta, agus d'aon iarracht bhrúigh sé anuas ar a cheann é.

Thit an spiorad faoi, i dtreo gur chlúdaigh an múchadóir a phearsa ar fad, ach, cé gur bhrúigh

Scrúg síos é lena neart ar fad, níorbh fhéidir leis an solas a cheilt, agus amach leis an solas sin ar an talamh ina thuile gan staonadh.

Mhothaigh sé traochta é féin, agus go raibh codladh ag teacht air ná féadfadh sé a chur de, agus fós, bhí a fhios aige go raibh sé ina sheomra codlata féin. Thug sé an fáscadh deireanach don chaipín agus, dá dhroim sin, d'imigh an lúth as a lámh, agus is ar éigean a bhí an leaba aimsithe aige nuair a thit sé ina shámhchodladh.

AN TREAS RANN

An Dara Ceann de na Spioraid

Nuair a dhúisigh Scrúg i lár sranntarnaí feillrighne, agus shuigh ansin sa leaba chun machnaimh, níor ghá d'éinne a insint dó go raibh an clog arís ar tí a haon a bhualadh. Thuig sé gur fhill fónamh a mheabhrach chuige i dtráth ceart, d'fhonn go mbeadh agallamh cinnte aige leis an dara teachtaire a cuireadh chuige de bharr idirghabhála Iacóib Meárlaí. Ach, óir mhothaigh sé é féin ag dul i ndianfhuaire nuair ná féadfadh sé a rá cé acu de na cuirtíní a tharraingeodh an taibhse nua seo, chuir sé gach uile cheann acu uaidh lena lámh féin, shín sé siar arís, agus luigh sé ar ghéarfhaire mórthimpeall na leapa. Mar bhí fonn air comhrac a chur ar an spiorad chomh luath is a d'fheicfeadh sé é agus gan ligin dó teacht i ngan fhios air, agus é a chur i gcreatha le heagla.

Is gnách le daoine áiféiseacha gur dóigh leo go mbíonn eolas ar chleasa acu, agus a mbíonn fios a ngnóthaí acu go coitianta, is gnách lena leithéidí sin, d'fhonn an méid a rachaidís i bhfiontar a fhoilsiú dúinn, a rá go bhfuil gach ní ar a gcumas, ó chaitheamh cnaipí go dúnmharú — agus ní bréag gur iomaí rud le fáil eatarthu seo araon. Dála Scrúig, agus gan dul chomh fada sin ina thaobh, is dóigh liom nach miste daoibh géilleadh go raibh sé ullamh chun mórchuid de thaibhsí iasachta a fheiscint, agus ná cuirfeadh aon ní ionadh air, ó leanbh go srónbheannach.

Más ea, óir bhí sé ullamh in aghaidh gach ní a thiocfadh, ní raibh ullmhacht ar bith air gan aon ní a theacht, agus, dá réir sin, ar bhualadh a haon a chlog, agus gan taibhse le feiscint, tháinig ballchrith míchuibheasach air. Cúig nóiméad, deich nóiméad, ceathrú uaire an chloig, d'imíodar seo thart. I rith na haimsire seo ar fad bhí sé ina luí ar a leaba i gceartlár dheargsholais a thit ar an leaba láithreach iar mbualadh an chloig. Is deimhin, nuair ná raibh ann ach solas, gur mó a chuir sé ionadh air ná a chuirfeadh dháréag de thaibhsí — agus, ar uairibh, bhíodh faitíos air go raibh sé ag dó uaidh féin agus gan de shásamh air a fhios a bheith aige. Faoi dheireadh, áfach, shíl sé — rud a shílfinnse, nó a shílfeása den chéad iarracht — mar is é an té ná bíonn sa chruachás a thuigeann go cruinn cad ba cheart a dhéanamh, agus a dhéanfadh leis é, gan amhras — faoi dheireadh, rith sé ina aigne go mb'fhéidir gur sa seomra lena ais a bheadh bun is barr an tsolais spioradálta seo, agus nuair a d'fhair sé níos sia air, ba dhóigh leis gurbh as a lonraigh sé. Nuair a bhí an smaoineamh seo buailte isteach ina aigne, d'éirigh sé go ciúin agus siúd ag útamáil go dtí an doras é ina shlipéir.

Nuair a bhí lámh Scrúig ar an nglas, láithreach baill ghlaoigh guth iasachta ar a ainm air agus dúirt leis bualadh isteach. Ghéill sé dó.

Ba é a sheomra féin é. Ba é gan amhras. Ach bhí athrú iontach air. Bhí an oiread sin buanghlasraí ar na ballaí is ar an bhfraigh gur dhóigh leat gur gearrchoill a bhí ag fás ann. Chuir duilleoga briosca an chuilinn, an drualusa agus an eidhinn an solas thar n-ais faoi mar a bheadh an oiread céanna de mhionscátháin leata mórthimpeall, agus d'éirigh bladhm ardghlórach suas an simléar ná raibh a leithéid sa tinteán clochdhúr dhoilbh sin le linn Scrúig ná Meárlaí, ná ar feadh mórán de gheimhrí go dtí sin. Ar an urlár ina gcarna, i bhfoirm ardchathaoireach, bhí cearca francacha, géanna, éanlaith fia, éanlaith tí, mion-mhuiceoil, ailt mhóra feola, bainbh bheirthe, rollaí putóg, mionsudóga, putóga spíosracha, bairillí oisrí, cnónna deargtheo, úlla silíneacha, oráistí súmhara, piorraí méithe, cístí móra na Nollag Bige, agus scalaigh mhóra puins ar fiuchadh, i dtreo go raibh an seomra dorcha leis an ngal dea-bhlasta a bhí orthu. Ar an gcathaoir seo, ba shocair maorga a shuigh fathach sultmhar ar bhreá leat a bheith ag féachaint air. Bhí tóirse á iompar aige. Ba gheall le hAdharc na Líonmhaireachta í agus choinnigh sé suas go hard í d'fhonn go dtitfeadh a solas ar Scrúg agus é ag teacht ag breathnú timpeall an dorais.

"Tar isteach!" arsa an spiorad. "Tar isteach! Agus cuir aithne níos fearr orm, a dhuine!"

Tháinig Scrúg isteach go heaglach, agus chrom sé a cheann os comhair an spioraid. Ní raibh sé chomh dásachtach is a bhíodh, agus, cé go raibh súile an spioraid go geal carthanach, níor mhian leis féachaint anonn orthu.

"Is mise Taibhse na Nollag seo Láithreach," arsa an spiorad. "Féach i leith orm."

D'fhéach Scrúg air go hurramúil. Bhí brat nó fallaing róghlas ar a raibh imeall de bhánchlúmh mar chlúdach air. Bhí an brat seo chomh neamhfháiscthe ar an taibhse go raibh a leathan-ucht leis, faoi mar a bheadh scorn air é féin a chosaint ná a chlúdach le ceardaíocht daonna. Faoi leathan-chastaí an bhrait, bhí a chosa le feiscint agus iad lomnochta, agus ní raibh de chlúdach ar a cheann ach bláthfhleasc chuilinn a raibh coinlíní reoite ag lonrú anseo is ansiúd tríd. Bhí donnduala a chinn ag titim síos leis go réidh, chomh réidh lena chaoinghnúis, lena chlaonrosc, a leathanláimh, a shoilbhghuth, a stáidiompair, agus a ghreannchruth. Casta ina thimpeall bhí seanchumhdach claímh a bhí léirchreimthe le meirg, agus gan claíomh ar bith istigh ann.

"Ní fhaca tú mo leithéidse riamh roimhe seo?" arsa an spiorad.

"Ní fhaca, riamh!" arsa Scrúg, ag freagairt air.

"Níor ghluais tú amach riamh le cois aois óig mo mhuiríne-se — siadsan (mar go bhfuilimse an-óg) na deartháireacha is sine agam, a rugadh beagán de bhlianta ó shin?" arsa an spiorad.

"Ní dóigh liom gur ghluais," arsa Scrúg. "Tá eagla orm nach ndearna. An mó deartháir a bhí agat, a spioraid?"

"Os cionn a hocht gcéad déag," arsa an spiorad.

"Muirín éachtach chun soláthair dóibh," a dúirt Scrúg faoina fhiacail.

D'éirigh Spiorad na Nollag seo Láithreach.

"A spioraid," arsa Scrúg go humhal, "stiúir cibé taobh is maith leat mé. Ghluaiseas amach aréir de m'ainneoin agus múineadh ceacht dom atá ag dul chun suime dom anois. Má tá aon ní le múineadh dom anocht, bíodh rud éigin agam dá bharr."

"Cuimil le mo bhrat!"

Rinne Scrúg amhlaidh agus rug greim daingean air.

Láithreach baill, d'imigh gach ní as radharc — cuileann, drualus, caora, eidheann, cearca francacha, géanna, éanlaith fia, éanlaith tí, mion-mhuiceoil, banbh-fheoil, putóga, rollaí putóg, oisrí, torthaí agus puins. Ní luaithe a d'imigh as radharc an seomra, an tine, an deargbhladhm, agus an oíche féin, ná sheasadar ar shráideanna na cathrach maidin Lá Nollag. Sa chathair seo (mar bhí an uain go dona) bhí gairgcheol fuinniúil dea-bhlasta á dhéanamh ag na daoine ag glanadh an tsneachta as na tóchair os comhair a n-áitreabh is ó mhullach a dtithe, agus is róshultmhar a bhí na garsúin ag faire air ag plabadh anuas ar an mbóthar, agus ag déanamh mion-anfaí saorga sneachta de féin.

Bhí dealramh dúdhorcha go leor ar éadain na dtithe, agus dealramh ní ba dhorcha ná sin féin ar na fuinneoga, i gcomórtas leis an mínbhrat bánsneachta a bhí ar an díon, agus leis an sneachta salach a bhí ar an talamh. Bhí rothaí troma na gcarr is na dtrucailí tar éis claiseanna doimhne a threabhadh tríd an sneachta seo a bhí ar an talamh, agus bhí na claiseanna seo ag dul trasna a chéile céad uair san áit inar tháinig na mórshráideanna le chéile, agus rinneadar díoga casta doshrianta sa phuiteach ramharbhuí agus san uisce seaca. Bhí an spéir go dorcha, agus bhí na sráideanna beaga múchta ag dubhcheo a bhí leathleáite, leathshioctha, agus a néalta teanna ag titim i bhfras mionsúiche, faoi mar a bheadh a bhfuil de shimléir sa Mhór-Bhreatain trí thine d'aon toisc, agus ar léirlasadh ar a dtoil féin. Ní puinn soilbhreachta a bhí san uain ná sa chathair, ach, ina dhiaidh sin, bhí dealramh soilbhreachta mórthimpeall ná faighfí ón aer samhraidh ba ghlaine ná ón ngrian samhraidh ba ghile.

Mar, bhí na daoine a bhí ag taoscadh leo ar

mhullach na dtithe lán de scléip is de shult, ag glaoch amach ar a chéile ó bharra na mballaí, agus ag caitheamh ceirtlíní sneachta go meidhreach lena chéile — agus is minic gur lú díobhála a dhéanadh urchar den saghas sin ná mórán focal magaidh — ag gáire go lánchroíoch dá n-aimsídís, agus an sult céanna orthu dá dteipfeadh orthu. Bhí siopaí na n-éanlaitheoirí ar leathoscailt fós, agus siopaí na dtorthóirí go lonrach is go glórmhar. Bhí cliabháin mhóra chruinne mhórbholgacha de chnónna, i bhfoirm vástchótaí seandaoine soilbhre, ag moilliú ag na doirse agus ag brúchtaíl amach ar an tsráid, faoi mar a bheadh spaidtinneas róthrom orthu. Bhí oinniúin dhearga dhonnéadanacha theanna Spáinneacha ann, agus iad ag taitneamh le raimhreacht a bhfáis, mar a bheadh bráithreacha sa Spáinn, ag bagairt ó na trasnáin go claonchleasach ar na cailíní a bhí ag dul thar bhráid, agus ag tabhairt súilfhéachaint chúthail ar an drualus a bhí ar crochadh ann. Bhí piorraí is úlla crochta go hard i gcoirceoga bláthúla; bhí triopall fíonchaor, le neart flaithiúlachta na bhfear siopa, á luascadh ar chrocháin sofheicthe d'fhonn go dtiocfadh ainmhian in aisce ar na daoine a bheadh ag gabháil tharstu; bhí cruacha de chollchnónna a bhí donn le caonach, a chuirfeadh i gcuimhne duit le neart a gcumhrachta spaisteoireacht fadó i measc na gcoillte, agus fuirseadh soilbhir na gcos á sá i nduilleoga feoite go hailt; bhí Bifinní ó Norfóc ann go dubh, teann, ag spéisiú buíocht na n-oráistí is na líomóidí — iad le mórchruinneas a súchorp, ag agairt is ag éileamh ort iad a bhreith abhaile i málaí páipéir d'fhonn iad a ithe le do dhinnéar. Fiú na héisc óir is na héisc airgid féin, a bhí leagtha amach i mbáisín i measc an toghthoraidh seo, cé gur de threibh dúr leisciúil iad, ba dhóigh leat gur thuigeadar go raibh rud éigin ar bun, mar d'imigh gach ceann acu ag bloscadh mórthimpeall a mhiondomhain go mall, ciúindíograiseach.

Tithe na lóncheannaithe! A Dhia, tithe na lóncheannaithe! Agus iad beagnach dúnta, mura mbeadh aon chomhla fuinneoige amháin nó, b'fhéidir, dhá chomhla, gan cur suas — a leithéid de ghrodradharc is a bhí le fáil trí bhearna acu seo. Níorbh é amháin gur tháinig fuaim mheidhreach ó na scálaí a bhí ag teacht anuas ar an gcuntar, ná gur scair an snáth cnáibe agus an roithleán lena chéile go héasca, ná gur ropadh suas is anuas na cannaí stáin mar chúlchleasa. Ní hamháin go raibh boladh an tae agus an chaife measctha go taitneamhach lena chéile, ná fiú go raibh na rísíní chomh flúirseach neamhchoitianta sin, na halmóinní chomh gléigeal, na slata cainéil chomh fada, chomh díreach, na spíosraí eile chomh milis, torthaí leasaithe chomh fáiscthe is chomh breactha sin le siúcra leáite go gcuirfidís an lagachar ar dtús agus an galar buí faoi dheireadh ar an té a bhreathnódh orthu, dá neamhshuimiúla é. Ní hé amháin go raibh na figíní go húr súmhar, ná go raibh luisne ar na plumaí francacha a bhí go ciúin géar ina mboscaí léirmhaisithe, ná go raibh gach ní go taitneamhach le hithe faoi éadach na Nollag, ach ina theannta sin, go raibh oiread sin deifre is díograise ar na ceannaitheoirí le scleondar an lae go rabhadar ag fuirseadh lena chéile ag an doras, ag léirbhriseadh a gciseán ar mearbhall, agus gur fhágadar gach ar cheannaíodar ar an gcuntar, agus gur fhilleadar thar n-ais chun iad a bhreith leo, agus go ndearnadar na céadta dearmad den saghas céanna gan bhuairt, gan dochma ar bith. Dála an lóncheannaí agus a mhuintire, ní rabhadar riamh chomh hoscailteach grámhar, agus ba dhóigh leat gur lena gcliabh féin na croíthe líofa lenar cheanglaíodar a naprúin ar gcúl, agus go rabhadar á gcaitheamh lasmuigh d'fhonn go bhfeicfeadh cách iad, agus go bpriocfadh cága na Nollag iad dá mba mhaith leo.

Ach ba ghearr gur ghlaoigh na cloigthithe gach dea-dhuine go teampall is go heaglais, agus seo ar siúl iad ina dtuile trí na sráideanna, faoin éadach ab fhearr a bhí acu, agus ag féachaint, gach duine acu, go róshoilbhir. San am céanna, bhuail amach as céad mionsráid is lúb gan ainm daoine thar chomhaireamh, ag breith a ndinnéir go siopaí na mbáicéirí. Ba dhóigh leat gur chuir an spiorad suim mhór sna créatúir seo, mar sheas sé, agus Scrúg lena ais, ag doras báicéara, bhain sé an clúdach de na dinnéir de réir mar a d'imigh na daoine a bhí á n-iompar thairis, agus chroith sé túis orthu óna thóirse. Agus tóirse neamhchoitianta ab ea í dá réir, mar, feacht nó dhó, nuair a bhí focal éigin idir lucht iompair na ndinnéar a bhí ag fuirseadh lena chéile, scaip sé braoinín uisce orthu ón tóirse, agus láithreach baill bhíodar go cneasta le chéile arís. Mar dúradar gur mór an náire a bheith ag troid Lá Nollag. Agus ba mhór leis! Dia dá mbeannú, ba mhór!

Stop na cloig i dtráth, agus dúnadh siopaí na mbáicéirí, ach, ina dhiaidh sin, ba thaitneamhach an rian a d'fhág na dinnéir agus a gcócaireacht sa phaiste úr leáite os cionn gach bácúis, mar a raibh gal ag éirí ón tóchar, faoi mar a bheadh na clocha féin á mbeiriú leis.

"An bhfuil aon dea-bhlas sa rud sin atá á scaipeadh ó do thóirse agat," arsa Scrúg.

"Tá. Mo dhea-bhlas féin."

"An bhféadfaí é a chur ar aon saghas dinnéir an lá seo?" arsa Scrúg.

"D'fhéadfaí, dá dtabharfaí le carthanacht é. Agus ar dhinnéar bocht go mórmhór."

"Cad í an chúis 'an dinnéar bocht' go mórmhór?" arsa Scrúg.

"Mar is aige is mó atá gá leis."

"A spioraid!" arsa Scrúg, tar éis machnaimh nóiméid, "is iontach liom fonn a bheith ortsa thar a bhfuil sna domhain go léir inár dtimpeall, cosc a chur le sólás neamhdhíobhálach na ndaoine seo."

"Mise!" a dúirt an spiorad os ard.

"Tugann tú iarracht ar na háiteanna seo a iamh suas gach seachtú lá, agus nach é an rud céanna é?"

"Tugaimse iarracht!" arsa an spiorad le hionadh.

"Maith dom é má tá an éagóir agam. Rinneadh é faoi d'ainm, nó faoi ainm do mhuintire ar aon chuma," arsa Scrúg.

"Tá daoine ar an saol seo," arsa an spiorad, ag tabhairt freagartha air, "a ligeann orthu go bhfuil aithne acu orainne, agus a ghníonn a mbearta ainmhéine is uafáis is eascairdis is fuatha is formaid is dallchreidimh is neamhmhaitheasa faoinár n-ainmne, cé go bhfuil siad chomh fada uainn féin is ónar ngaolta go léir le daoine nár cuireadh ar an saol riamh. Ná déan dearmad ar an méid sin, agus cuir a ngníomhartha ina gcoinne féin in ionad iad a chur inár gcoinne-ne."

Gheall Scrúg go ndéanfadh, agus d'imíodar orthu go dofheicthe, faoi mar a bhíodar cheana, go himill na cathrach. B'ait an rud a bhain leis an spiorad (agus thug Scrúg faoi ndeara é i siopa an bháicéara), go bhféadfadh sé, cé go raibh airde iontach ann, go bhféadfadh sé é féin a shocrú in aon bhall go háisiúil, agus gurbh fhéidir leis seasamh i dtigh íseal chomh córach, is chomh spioradúil, is dá mbeadh sé sa seomra ab airde le fáil.

B'fhéidir gurb é an rud a stiúir go díreach faoi dhéin chléirigh Scrúig é ná an sásamh a bhfaigheadh sé ó a bheith ag taispeáint a ghlicis san obair seo, nó b'fhéidir gurbh é a charthanacht is a fhlaithiúlacht féin is a thruamhéala do bhoicht uile a stiúir ann é. Siúd ann é, ar aon slí, agus Scrúg lena chois, agus é ag coinneáil greim ar a bhrat. Agus ar thairseach an dorais tháinig leamhgháire ar an spiorad, agus stad sé chun áras Bhob Craitit a bheannú le mionfhras óna thóirse. Ní raibh ag Bob bocht féin ach cúig 'bhob' déag sa tseachtain; ní raibh aige le cur ina phóca gach Satharn ach cúig chóip déag dá ainm Críostaí féin. Ach ina dhiaidh sin féin, bheannaigh Taibhse na Nollag seo Láithreach a theach cheithre sheomra.

Ansin, d'éirigh Máistreás Craitit, bean Chraitit, is níorbh fhónta a cuid éadaigh — seanghúna iontaithe is ath-iontaithe, ach a raibh neart ribíní uirthi, mar go bhfuil ribíní chomh saor sin gur fada a rachadh luach réalach díobh. Leath sí an t-éadach cláir le cúnamh a dara hiníne, Beilinda, ar a raibh neart ribíní leis. Dála an bhuachalla, Peadar Craitit, sháigh sé forc isteach i scilléad prátaí, agus cúinní bóna a léine (ba le Bob féin an léine, agus thug sé dá mhac is oidhre é ar son an lae a bhí ann) ag dul isteach ina bhéal, bród air mar gheall ar a chuid éadaigh ghalánta, agus fonn air é a thaispeáint i páirceanna na n-uaisle. Agus anois isteach leis an dá Chraitit óga ar buile, agus gach aon bhéic acu, á rá go bhfuaireadar boladh na gé taobh amuigh de shiopa an bháicéara, agus go raibh a fhios acu gur leo féin í. Bhí uisce ag teacht faoina bhfiacla mar a chuimhnídís ar an sáiste is ar an oinniún. Rinceadar timpeall an bhoird agus mholadar Peadar Craitit go hard, agus eisean (ní raibh uabhar air, cé gur dhóbair dá bhónaí é a thachtadh) ag séideadh na tine a raibh na prátaí malla ag fiuchadh agus ag bualadh díon an scilléid d'fhonn go ligfí amach iad, agus go mbainfí an craiceann díobh.

"Cad a d'imigh ar bhur n-athair macánta?" arsa Máistreás Craitit, "agus ar bhur ndeartháir Taidhgín? Agus ní raibh Marta chomh déanach seo, ná i ngaireacht uaire an chloig dó, an Nollaig seo a d'imigh tharainn."

"Seo Marta chugat, a mháthair," arsa cailín, ag teacht isteach.

"Tá Marta chugainn," arsa an bheirt Chraitit óga, "Hurú! Dá bhfeicfeá an ghé atá againn, a Mharta!"

"Mhuise, mo ghraidhin croí thú, a ghrá ghil, nach déanach atá tú?" arsa Máistreás Craitit, agus phóg sí naoi n-uaire í agus bhain di a brat is a boinéad go cúramach.

"Bhí mórán oibre againn le críochnú aréir, a mháthair, " arsa an cailín, "agus b'éigin dúinn glanadh suas ar maidin inniu!"

"Sea, is cuma é, ó tá tú sa bhaile againn," arsa Máistreás Craitit. "Suigh síos os comhair na tine, a mhaoineach, agus téigh thú féin — agus go neartaí Dia thú."

"Ná déan, ná déan. Féach, seo m'athair chugainn," arsa an bheirt Chraitit óga a bhí i ngach aon bhall in éineacht, "i bhfolach leat, a Mharta, brostaigh."

Chuaigh Marta i bhfolach, dá réir sin, agus seo isteach Bob beag, an t-athair, agus trí troithe dá charbhat, ar a laghad, is gan an ciumhais de bhac, ar sileadh anuas leis ar a bhrollach, agus a chuid éadaigh lomchaite deisithe is glanta d'fhonn go bhféachaidís oiriúnach don aimsir, agus Taidhgín Caol ar a ghualainn aige. Mo thrua-sa Taidhgín Caol, bhí maide coise beag á iompar aige, agus fráma iarainn ar a chosa.

"Cá bhfuil ár Marta?" arsa Bob Craitit, ag féachaint mórthimpeall.

"Níl sí ag teacht," arsa Máistreás Craitit.

"Níl sí ag teacht!" arsa Bob, agus a ardmhisneach ag dul i laige go tobann, mar ba é capall ráis Thaidhgín Chaoil é ar feadh na slí ón teampall, agus tháinig sé abhaile go lánmheanmnach. "Níl sí ag teacht, Lá Nollag!"

Níor mhaith le Marta gruaim a chur air, fiú le cleas magaidh agus, dá bhrí sin, seo amach in antráth í ón taobh thiar de dhoras an chófra, agus seo isteach idir a dhá lámh í, agus siúd an bheirt Chraitit óga ag fuirseadh le Taidhgín Caol, agus á iompar go dtí seomra an níocháin, d'fhonn go n-aireodh sé crónán na putóige san oigheann.

"Agus conas a chuir Taidhgín Caol de?" arsa Máistreás Craitit, tar éis magaidh a dhéanamh faoi Bhob ar a fhurasta amadán a dhéanamh de, agus nuair a bhí seisean tar éis a iníon a fháisceadh chuige go raibh sé lánsásta.

"Go han-mhaith ar fad," arsa Bob, "ní fhacadar

riamh níos fearr. Ar uairibh tagann tocht machnaimh air, ó a bheith ina shuí chomh fada sin ina aonar, agus ritheann na rudaí is greannmhaire a d'airigh tú riamh ina mheon. Dúirt sé liom, agus sinn ag teacht abhaile, go raibh súil aige go bhfaca na daoine sa teampall é, mar gur mhairtíneach é, agus go mbeadh sásamh orthu cuimhneamh Lá Nollag cé a thug fónamh a gcos do bhacaigh, agus radharc a súl do dhaill."

Chrith guth Bhob agus é ag insint an scéil sin, agus chrith sé ní ba mhó agus é ag insint go raibh Taidhgín ag dul i dtreise is i dtréine.

Sular labhraíodh focal eile airíodh fuaim mhaide coise bhig fhuinniúil Thaidhgín Chaoil ar an urlár, agus seo chucu é féin agusa dhearth// air is a dheirfiúr á thionlacan go dtí a stól le hais na tine, agus an fhaid a bhí Bob, is a chufaí tógtha suas aige — faoi mar a

bhféadfaidís féachaint ní ba mheasa, an fear bocht — ag déanamh meascáin te éigin i gcrúiscín le gin is líomóid, á chorraí arís is arís eile, agus á chur ar an iarta chun athfhiuchta, chuaigh Peadar is an bheirt Chraitit óga — bhíodar sin i ngach aon bhall — ag iarraidh na gé, agus ba ghearr gur fhilleadar léi agus iad á tionlacan go maorga.

Bhí an oiread sin fuirsidh ansin acu gur dhóigh leat ná raibh éan amuigh chomh gann le gé — éacht chlúimh éigin ná fuil in eala dhubh ach radharc gach aon lae i gcomórtas leis — agus go deimhin sa tigh sin ní mór ná gurb amhlaidh a bhí an scéal. Chuir Máistreás Craitit an t-anraith ar deargfhiuchadh (bhí sé ullamh roimh ré i bpota beag) bhrúigh Peadar na prátaí le fuinneamh iontach, mhilsigh Beilinda an t-úll-anlann, ghlan Marta na plátaí teo. Chuir Bob Taidhgín Caol lena ais i gcúinne beag den bhord, shocraigh an bheirt Chraitit óga cathaoireacha dóibh go léir, agus níor dhearmadadar iad féin. Agus shocraíodar iad féin ar sheasamh garda ina suíocháin, agus dhingeadar spúnóga isteach ina mbéal i gcás ná béicidís ag iarraidh cuid den ghé sular tháinig a n-uain féin. Faoi dheireadh, cuireadh na miasa ar an mbord, agus rinneadh altú bia. Ina dhiaidh sin bhí sos ciúnais, an fhaid a bhí Máistreás Craitit ag tabhairt súilfhéachana ó cheann ceann na scine feola sular sháigh sí sa bhrollach í, ach nuair a bhí sí sáite aici ann, agus nuair a phléasc amach an líonadh a raibh coinne leis le fada, d'éirigh liú áthais mórthimpeall an bhoird. Fiú amháin, Taidhgín Caol, a raibh an bheirt Chraitit óga á ghríosú, bhuail sé an bord le cois na scine, agus dúirt "Hurrú!" go lag-ghuthach.

Ní fhacthas riamh a leithéid de ghé. Dúirt Bob ná

faca sé riamh a leithéid de ghé réidh chun boird. Ní raibh i mbéal éinne ach moladh dá boige, dá dea-bhlas, dá méid, agus dá saoireacht. I dteannta úll-anlainn is prátaí bruite, bhí dóthain an líon tí ar fad inti. Go deimhin, mar a dúirt Máistreás Craitit, go lán-áthasach (ag féachaint ar bhlúire beag cnáimhe a d'fhan ar an mias) ní raibh sé go léir ite acu ina dhiaidh sin is uile! Ach bhí a dhóthain ag gach éinne go háirithe. Bhí sáiste is oinniún go súile ar na Craitití óga. Agus anois, tar éis malairt plátaí a bheith curtha ina gcomhair ag Beilinda, d'fhág Máistreás Craitit an seomra — bhí eagla uirthi finné a bhreith léi — d'fhonn an phutóg a thógáil agus a thabhairt isteach.

Dá mba rud é ná beadh sí déanta i gceart! Abair go dtitfeadh sí as a chéile nuair a bheifí á ligean amach! Nó dá dtiocfadh duine éigin thar falla i gcúl an tí agus í a ghoid an fhaid is a bhíodar go meidhreach ag gabháil den ghé — chuir an tuairim dheireanach seo dath liathghorm ar an mbeirt Chraitit óga! Is iomaí ábhar eagla den saghas sin a chuireadar trí chéile.

Aililiú! Gal an domhain! An phutóg tógtha amach as an gcoire. Boladh mar a bheadh ann lá níocháin! Ba é sin an t-éadach. Boladh mar a bheadh teach bia agus teach cócaire i gcóngar a chéile agus teach níocháin in aice leosan arís! B'in í an phutóg! I ngiorracht leathnóiméid, bhuail Máistreás Craitit isteach, dath cródhearg uirthi, agus í ag leamhgháire go huaibhreach — agus an phutóg, a bhí chomh crua,

chomh torthúil le piléar riabhach gunna mhóir, ar léirlasadh i leath leathcheathrú de bhranda dóite, agus cuileann na Nollag sáite ina barr á bláthú.

Putóg éachtach! Dúirt Bob Craitit dá réir gur

dhóigh leis gurb í an rud ab fhearr í a rinne Máistreás Craitit ó pósadh iad. Dúirt Máistreás Craitit, ó bhí an t-ualach sin curtha dá croí, ná raibh sí sásta ina haigne i dtaobh an mhéid plúir a chuir sí isteach! Bhí rud éigin le rá ag gach éinne mar gheall uirthi, ach ní dúirt is níor cheap éinne gur bheag an phutóg í do mhuirín mhór. Ba mhór an tarcaisne a leithéid a rá. Bheadh náire ar aon Chraitit fiú tagairt do scéal den saghas sin.

Bhí an dinnéar ar leataobh faoi dheireadh, glanadh an t-éadach cláir, scuabadh an tinteán, agus cóiríodh an tine. Blaiseadh an meascán a bhí sa chrúiscín, fuarthas ar fónamh é. Cuireadh úlla is oráistí ar an mbord, agus lán sluaiste de chnónna ar an tine. Ansin bhailigh na Craitití ar fad timpeall an tinteáin — i gciorcal, mar a dúirt Bob Craitit, agus gan ann ach leathchiorcal. Láimh leis féin, a bhí earraí gloine an tí le feiscint, dhá thimbléar agus cupán custaird gan chluas.

Choinníodar seo meascán te úd an chrúiscín chomh maith is a choinneodh scalaigh óir. Is soilbhir an dealramh a bhí ar Bhob á riaradh amach, agus na cnónna ar an tine ag spréachadh is ag cnagarnaíl go glórach. Ansin thug Bob an tsláinte seo:

"Nollaig shúgach chugainn go léir, a stórtha, Bail ó Dhia orainn!"

Ba í an tsláinte chéanna acu go léir í.

"Bail ó Dhia ar gach duine againn!" arsa Taidhgín Caol thiar i ndeireadh.

Shuigh sé ar a stóilín go han-chóngarach dá athair. Choinnigh Bob a láimhín feoite ina lámh féin, faoi mar a bheadh grá aige don leanbh, agus gur mhaith leis é a choimeád taobh leis, ar eagla go mbéarfaí uaidh é.

"A spioraid," arsa Scrúg, le dúthracht nár mhothaigh sé a leithéid riamh, "inis dom an mairfidh Taidhgín Caol?"

"Chím suíochán folamh," arsa an spiorad, ag déanamh freagartha air, "i gcúinne dealbh an tsimléir, agus maide coise in ionad an té ar leis é go taiscthe i gcoimeád. Mura n-athraítear na scáthanna seo gheobhaidh an leanbh bás."

"Ó! Ná habair é," arsa Scrúg. "Ó, ná habair é, a spioraid charthanach! Abair go bhfágfar againn é."

"Mura n-athróidh an Aimsir atá le Teacht na scáthanna, ní bheidh sé anseo roimh éinne eile de mo threibhse. Cad é an díobháil? Má tá sé i riocht bháis, faigheadh sé bás agus laghdódh sé líonmhaireacht na ndaoine."

Chrom Scrúg a cheann nuair a chuala sé a bhriathra féin á n-aithris ag an spiorad, agus tháinig tocht aiféala agus cathú air.

"A dhuine," arsa an spiorad, "murab é cruachloch atá ionat in ionad croí daonna, cuir uait an raiméis chiontach sin go bhfaighe tú amach cad í an líonmhaireacht seo agus cá bhfuil sí? An dtógfaidh tú ort féin a rá cé hiad na daoine a fhanfaidh ina mbeatha agus cé hiad a gheobhaidh bás? B'fhéidir go bhfeiceann Dia gur suaraí thusa agus gur lú a thuilleann tú a bheith i do bheatha ná na milliúin atá ar nós leanbh an fhir bhoicht seo. A Dhia na gcumhacht! A rá go bhfaigheann an chuileog ar an duilleog locht ar líonmhaireacht a gaolta bochta sa lathach.

Bhain gearán seo an spioraid cromadh as Scrúg, agus d'fhéach sé ar an talamh le critheagla. Ach is tapa a d'ardaigh sé a shúile ar chloisint a ainm féin.

"Scrúg Uasal!" arsa Bob. "Beirim daoibh sláinte Scrúig, an fear a chuir an fhleá ar bun."

"An fear a chuir an fhleá ar bun, go deimhin!" arsa Máistreás Craitit agus luisne ina haghaidh. "Nár bhreá liom dá mbeadh sé anseo agam! Thabharfainnse rud le hithe dó, agus tá súil agam go mbeadh a ghoile aige ina chomhair!"

"A mhaoineach ó!" arsa Bob. "Na páistí! Lá Nollag!"

"Ní mór Lá Nollag a bheith ann, gan amhras, nuair a óltar sláinte raispín táir crua neamh-thruamhéalach mar Scrúg. Tá a fhios agatsa gurb é sin a ainm, a Riobáird. Is fearr a fhios agatsa ná ag éinne, a fhir bhoicht."

"Sea, anois, a mhaoineach!" arsa Bob go cneasta. "Lá Nollag!"

"Ólfaidh mé a shláinte ar do shonsa agus ar son an lae," a dúirt Máistreás Craitit. "Ní ar a shon féin a ólfaidh mé í. Fad saoil chuige! Nollaig shúgach chuige agus athbhliain shéanmhar. Beidh sé an-súgach agus an-séanmhar, gan amhras!"

D'ól na páistí an tsláinte ina diaidh. Ba é seo an chéad bheart acu seo nach ndearnadh le dúthracht. Ba é Taidhgín Caol an té ba dheireanaí a d'ól í agus ba bheag a bheann uirthi. Ba é Scrúg an tÁibhirseoir acu go léir. Chuir lua a ainm doilíos ar an gcuideachta ar fad nár scar leo go ceann cúig nóiméad ar a laghad.

Nuair a scar sé leo bhíodar deich n-uaire ní ba mheidhrí ná mar a bhíodar roimhe sin, de bharr deireadh a bheith acu le Scrúg Millteach. D'inis Bob Craitit dóibh go raibh ionad ceaptha aige i gcomhair Pheadair Óig, agus dá bhfaigheadh sé é go mbeadh coróin is réal sa tseachtain aige dá bharr. Is éachtach mar a gháir an bheirt Chraitit óga faoin tuairim go mbeadh Peadar ina fhear gnó, agus d'fhéach Peadar féin go seanchríonna machnamhach ar an tine ó imeall a bhónaí faoi mar a bheadh an tuarastal éachtach sin ag teacht isteach chuige. D'inis Marta, a bhí ina printíseach bocht ag ribíneoir, d'inis sí dóibh an saghas oibre a bhí aici féin le déanamh, agus an fhaid a d'oibríodh sí gan staonadh, agus conas mar a mheas sí go bhfanfadh sí sa leaba maidin lae amárach chun sos breá fada a bheith aici mar go mbeadh saoire ar an lá sin, agus bheadh sí sa bhaile, agus mar a chonaic sí banchunta agus tiarna a dó nó a trí lá roimhe sin agus, mar a déarfá, airde Pheadair sa tiarna. Leis sin tharraing Peadar suas a bhónaí chomh hard sin ná féadfá a cheann a fheiscint dá mbeifeá láithreach. I rith na haimsire seo ar fad bhí na cnónna is an crúiscín ag gabháil mórthimpeall, agus ar ball dúirt Taidhgín Caol amhrán dóibh ar leanbh a chuaigh amú sa sneachta. Ba dhoilíosach é guth Thaidhgín Chaoil agus is an-mhaith a chan sé.

Níor mhór le rá an méid sin go léir. Níor dhaoine dathúla a bhí ann, ní rabhadar éadaithe ar fónamh, ní raibh a mbróga tirim. B'fhada uaidh é. Ba ghann iad a mbalcaisí, agus b'fhéidir go raibh eolas ag Peadar ar an taobh istigh den phán, ach bhíodar go séanmhar, go buíoch, go grámhar lena chéile agus sásta lena raibh acu, agus nuair a bhíodar ag dul as radharc agus ag féachaint ní ba shéanmhaire fós faoi fhrasaí lonrach ó thóirse na taibhse ar scaradh dóibh, d'fhair Scrúg iad, agus go mórmhór Taidhgín Caol, go deireadh.

Bhí sé ag dul i ndorchadas anois agus ag cur sneachta go dian. B'éachtach é lonradh na mbéilteach tine a bhí le feiscint i gcistiní, i bparlúis agus i ngach aon saghas seomra agus Scrúg is an spiorad ag siúl na sráideanna. Ansin thall, chuireadh neamhshocracht bhladhma na tine in iúil duit go raibh dinnéar seascair á ullmhú, agus plátaí teo á mbácáil os comhair na tine, agus cuirtíní dearga réidh chun tarraingthe d'fhonn an dorchadas agus an fuacht a choimeád amach. Abhus bhí leanaí an tí go léir ag rith amach sa sneachta i gcoinne a ndeirfiúracha pósta, a ndeartháireacha, a n-uncailí, a n-aintíní, d'fhonn an chéad fháilte a chur rompu. San áit eile seo bhí scáileanna na n-aíonna a bhí ag teacht le chéile le feiscint ar chlúdach na bhfuinneog. In áit eile a bhí scata de chailíní dathúla, agus húdaí is bróga clúimh orthu ar fad, ag triall go coséadrom béalgháireach ar thigh chomharsan éigin — agus greadadh chun an ógánaigh a chonaic ag teacht isteach iad agus iad go luisniúil, mar is maith a bhí fios a ngnó ag na toicí!

Bhraithfeá ar a raibh de dhaoine ag dul faoi dhéin chuideachta mhuinteartha ná raibh éinne ag baile chun fáilte a chur rompu, ach in ionad sin is amhlaidh a bhí coinne le cuideachta i ngach aon teach agus a dtinte ag bladhmadh suas leath an tsimléir. Is ar an taibhse a bhí an t-áthas, mo ghraidhin é! Cad é mar a nochtaigh sé a leathan-ucht, mar a d'oscail sé a dhomhainghlac, agus siúd é ar seol ag scaipeadh go flaithiúil a shoilbhreachta soineanta neamhdhíobhálaí ar gach ní a bhí ina shlí. Fiú fear lasta na lampaí féin a bhí ag cur de go mear rompu amach, agus ag cur néal solais anseo is ansiúd sna doilbhshráideanna, agus é gléasta d'fhonn an tráthnóna a chaitheamh in áit éigin, gháir sé os ard agus an spiorad ag gabháil thairis, cé gur bheag a shíl sé go raibh éinne ina chuideachta ach amháin an Nollaig.

Agus anois, gan fógra ar bith ón taibhse, sheasadar ar ruaiteach fuarsceirdiúil aonarach mar a raibh ailpeacha móra de gharbhchlocha caite mórthimpeall i dtreo gur dhóigh leat gur ionad adhlactha d'fhathaigh é. Leath an t-uisce é féin cibé áit gur mhaith leis, nó leathfadh mura mbeadh gur choinnigh an sioc greim air, agus níor fhás aon ní ann ach caonach is aiteann is féar garbh leathlofa. San iarthar, ag dul faoi don ghrian, d'fhág sí stráice caordhearg ina diaidh ar an spéir a las suas an t-uaigneas ar feadh nóiméid mar a lasfadh súil throm éigin, agus chuaigh in ísleacht is in ísleacht, is in ísleacht go gruama, gur múchadh i ndúdhorchadas na hoíche í.

"Cad í an áit seo?" arsa Scrúg.

"Áit ina gcónaíonn mianadóirí a mbíonn a n-áitreabh faoin talamh," arsa an spiorad, ag déanamh freagartha air. "Ach tá aithne acu ormsa, féach!"

Bhí solas ag taitneamh ó fhuinneog bhotháinín, agus seo faoina dhéin iad go héasca. Chuadar tríd an mballa a bhí déanta de mharla is de chlocha agus thángadar go dtí cuideachta shoilbhir a bhí cruinnithe timpeall ar thine shoilseach — fear is bean an-aosta ar fad, lena gclann agus a gclann sin arís, agus ál eile níos óige ná sin agus iad go léir clúdaithe go bláthúil ina n-éadach lá saoire. Bhí an seanduine ag rá amhráin na Nollag dóibh, agus b'annamh a d'aithneofá a ghuth thar uaill na gaoithe ar dearg-fhásach. Seanamhrán ab ea é agus é ina leanbh. Anois is arís luíodar go léir isteach sa churfá. Nuair a d'ardaídís a nglór, chanadh an seanduine go misniúil is go hard, agus nuair a stadaidís théadh a ghuth i laige arís.

Ní dhearna an spiorad moill anseo, ach dúirt sé le Scrúg greim a bhreith ar a bhrat, agus siúd ar siúl os cionn an ruaitigh é. Cá raibh sé ag dul? Ní ar farraige is dócha? Is ea, ar farraige. Nuair a d'fhéach Scrúg ina dhiaidh tháinig scanradh air, mar chonaic sé deireadh na tíre, líne de charraigeacha uafásacha taobh thiar díobh. Is ar éigin a d'fhágfadh fónamh a chluas aige le mórfhothram an uisce a bhí á chaitheamh féin is ag screadach is ag síorfhiuchadh i measc na n-uamhan domhain a thochail sé amach agus é go fíochmhar ag tabhairt iarrachta ar an tír a bhaint dá bonn.

Roinnt míle amach ón trá bhí teach solais aonarach ina sheasamh ar charraigeacha doilbhe a bhí faoin uisce, agus an fharraige ag fuirseadh leo is á ladradh go fiáin, fíochmhar i rith na bliana. Bhí carnáin mhóra feamainne cruinnithe ag a bhun, agus éanlaith na stoirme — sliocht na gaoithe, dar leat, faoi mar a déarfá gurb é sliocht an uisce an fheamainn — ag éirí agus ag titim mórthimpeall air, faoi mar a d'éiríodh na tonnta ar a rabhadar ag gearr-eitilt.

Fiú amháin anseo, bhí tine déanta ag beirt fhear a bhí ag tabhairt aire don solas, agus scaip an tine sin néal geal lonrach ar an bhfiáinfharraige trí pholl a bhí sa teannbhalla cloiche. Rug an bheirt seo ar lámh ar a chéile os cionn an gharbhchláir a rabhadar ina suí in aice leis, thugadar "Nollaig shúgach" dá chéile mar a óladar a gcanna uisce beatha, agus ceann acu, an té ba shine acu, a raibh a aghaidh loite is méirscríte ón ngarbhshíon mar a bheadh ceannfhíor seanloinge éigin, chas sé amhrán fuinniúil ba chosúil le hanfa.

Siúd arís an spiorad ag gluaiseacht os cionn síorluascadh na dúfharraige, gur lingeadar ar long i bhfad ó aon trá, faoi mar a dúirt sé le Scrúg. Sheasadar taobh leis an stiúrthóir ag an roth, leis an bhfear faire ar gcúl, agus le muintir an gharda — gach duine acu ina ionad féin mar fhíor dhorcha spioradúil éigin. Ach bhí gach duine acu ag casadh crónáinín éigin a bhain leis an Nollaig, nó ag smaoineamh ar an Nollaig, nó ag labhairt faoin bhfiacail lena chompánach ar Lá Nollag éigin fadó shin, agus an tsúil le filleadh abhaile a bhain leis. Agus bhí a raibh sa long sin, ag luí nó ag éirí dóibh, maith nó olc, ní ba chneasta le chéile an lá sin ná mar a bhíodar aon lá eile sa bhliain, agus bhí gach duine acu ag cuimhneamh ar a chairde i gcéin agus a fhios aige gur chuir sé áthas orthu sin a bheith ag cuimhneamh air féin.

Ba mhór an t-ionadh le Scrúg, agus é ag éisteacht le doilbh-uaill na gaoithe agus ag ceapadh ina aigne gurbh uafásach an rud a bheith ag gluaiseacht sa dorchadas aonarach os cionn aigéin choimhthígh go raibh a íochtar chomh rúnach leis an mbás féin, ba mhór an t-ionadh le Scrúg ag smaoineamh mar sin dó, scairtíl ghairid a aireachtáil, agus ba mhó an t-ionadh a bhí air nuair a d'aithin sé gurb é a nia féin a lig an scairtíl sin as, agus nuair a fuair sé é féin i seomra tirim solasmhar lonrach agus an spiorad ina sheasamh lena thaobh ag leamhgháire agus ag féachaint go grámhar taitneamhach ar an nia céanna sin.

"Ha! Ha!" arsa nia Scrúig, "Ha! Ha! Ha!"

Dá mbuailfeadh leat, agus ní dóigh liom go mbuailfidh, éinne a gháireann níos soilbhre ná nia Scrúig, níl agam le rá ach gur mhaith liomsa, leis, bualadh leis. Stiúir ina threo mé agus beidh caidreamh agam air.

Más rud é go bhfuil galar is brón tógálach, is maith agus is ceart agus is álainn an scéal é ná fuil aon ní in aon chor chomh tógálach le gáire is le soilbhreacht. Nuair a gháir nia Scrúig ar an gcuma sin, ag cur a lámha lena thaobh, ag luascadh a chinn, agus ag cur aghaidhe air féin go róghreannmhar, gháir a chéile, neacht Scrúig, chomh lánchroíoch leis, agus ní lú scread a ngaolta a bhí cruinnithe ina bhfochair.

"Ha-ha! Ha-ha-ha-ha!"

"Is é a dúirt sé ná raibh san Nollaig ach díth céille, mar is maith liom a bheith i mo bheatha!" arsa nia Scrúig. "Agus chreid sé leis é!"

"Is mór an náire dósan, a Fhreid," arsa neacht Scrúig go míchéadfach. "Mo ghraidhin iad na mná! Ní fhágann siad aon ní leathdhéanta ina ndiaidh. Bíonn siad i gcónaí dáiríre."

Bhí sí dathúil, an-dathúil ar fad. Bhí a gnúis álainn phluicíneach iontach; a goibín aibí a bhí cumtha, dar leat, do phóga (agus gan amhras, ba mhar sin é); gach aon saghas bricín beag gleoite timpeall a smigín, agus iad ag leá ina chéile nuair a gháir sí, agus an dá shúil ba ghlaise dá bhfaca tú riamh i gceann cailín. Ní miste a rá go gcráfadh sí an croí ionat; ach thaitneodh sí leat ina dhiaidh sin. Mo léir! Is í a thaitneodh!

"Is greannmhar an seanduine é," arsa nia Scrúig. "Sin í an fhírinne agus is seirbhe í ná ba mhaith linn. Ach tá toradh a chionta air féin, agus níl aon ní agamsa le rá ina choinne."

"Is dócha go bhfuil sé an-saibhir ar fad," arsa neacht Scrúig," sin é a deir tusa liomsa, ar aon slí, a stór."

Cad é an mhaitheas é sin?" arsa nia Scrúig. "Is beag an mhaitheas a chuid saibhris dó. Níl sé ag déanamh aon rud leis. Ní chuireann sé seascaireacht air féin leis. Níl sé de shásamh air súil a bheith aige le maitheas éigin a dhéanamh dúinne leis — Ha-ha-ha!"

"Ní fhéadaim é a sheasamh," arsa neacht Scrúig, agus dúirt a deirfiúracha agus a raibh de mhná uaisle láithreach an rud céanna.

"Ó, féadaimse é a sheasamh," arsa nia Scrúig. "Tá cathú orm ina thaobh. Ní fhéadfainn titim amach leis dá mba mhaith liom é. Cé a bhíonn thíos lena spreanga? É féin i gcónaí. Glacann sé meon ná taitnímidne leis, agus ní thiocfadh sé chugainn chun dinnéir. Cad é an díobháil sin? Ní mór le rá an dinnéar a chailleann sé.

"Ambaiste féin, is dóigh liomsa gur mór le rá an dinnéar a chailleann sé," arsa neacht Scrúig. Agus dúirt an chuid eile an rud céanna, agus is dócha gur maith an bharúil a bhí aici, óir bhíodar díreach tar éis dinnéir, agus bhíodar cruinnithe timpeall na tine, agus an mhilseog ar an mbord agus na lampaí ar lasadh.

"Tá an-áthas orm é a chloisint," arsa nia Scrúig, "mar is beag é mo mhuinín as na mná tí óga seo. Cad a déarfása, a Thopair?"

Is deimhin go raibh Topar ag cuimhneamh ar cheann de dheirfiúracha neacht Scrúig, mar is é a dúirt ná raibh in ógánach ach díbirteach mí-ámharach is ná raibh aon cheart aige labhairt ar an ní sin. Leis sin ghormaigh deirfiúr neacht Scrúig — is í sin an ceann teann ar a raibh an fillteoir lása, agus ní hí an ceann í ar a raibh na rósanna.

"Tiomáin leat, a Fhreid," arsa neacht Scrúig, ag bualadh a bos. "Ní chríochnaíonn sé riamh an rud a bhíonn á rá aige! Is ait an duine é."

Chrom nia Scrúig ar scairtíl arís, agus nuair nárbh fhéidir cosc a chur leis an ngalar sin, cé go ndearna an deirfiúr teann a dícheall chun é a chosc le fínéagar spíosrach, tháinig scairtíl orthu go léir.

"Ní raibh agam le rá," arsa nia Scrúig, "ach gur dóigh liom go gcailleann sé aimsir shoilbhir de bharr an fhuatha atá aige dúinne, agus ná déanann sé súgradh inár bhfochair. Is deimhin go gcailleann sé compánaigh níos soilbhre ná mar a fhaigheann sé ina smaointe féin, ina sheanoifig liath nó ina sheomraí smúitiúla. Tá sé ceaptha agam an iarracht céanna a thabhairt faoi, gach bliain, cé acu is maith leis é nó nach maith, mar go bhfuil trua agam dó, bíodh sé ag cáineadh na Nollag go lá a bháis, ach ní féidir leis gan níos mó a dhéanamh di — geallaim duit — má fhaigheann sé mise ag dul ansin go cneasta ó bhliain go bliain agus á rá, "A Uncail Scrúg, conas atá tú?" Mura ndéanfaidh sé ach fonn a chur air leathchéad punt a fhágáil ag a chléireach bocht, sin rud éigin. Agus is dóigh liom gur bhog mise inné é."

Is ag an gcuid eile a bhí an gáire anois, agus a rá go mbogfadh seisean Scrúg! Ach fear nádúrtha ab ea é, agus ba chuma leis cad é cúis a ngáire an fhaid is a gháiridís in aon chor agus, dá réir sin, ghríosaigh sé iad chun meidhre agus scaoil sé an buidéal mórthimpeall go lán-áthasach.

Tar éis an tae, bhí ceol acu. Mar ba cheolmhar an dream iad agus bhí fios a ngnó acu nuair a chasaidís streancán nó rabhcán, geallaim duit — go mórmhór Topar, agus is é a d'fhéadfadh crónán leis go garbh-fhuaimneach gan cháim, agus gan at a theacht i mórfhéithí a éadain, ná a ghnúis a ghormú ar a shon. Sheinn neacht Scrúig go hálainn ar an gcláirseach, agus i measc na bport a sheinn sí, bhí fonn simplí (neamhní ab ea é, bheadh sé foghlamtha agat i gceann dhá nóiméad) a raibh eolas air ag an leanbh úd a rug Scrúg leis abhaile ón scoil chónaithe, mar a chuir Taibhse na Nollag a bhí Imithe i gcuimhne dó. Nuair a seinneadh suas an fonn seo tháinig chun a chuimhne gach uile ní a thaispeáin an taibhse sin dó.

Chuaigh sé i mboige is i mboige, agus cheap sé dá n-aireodh sé go minic fadó shin é go bhféadfadh sé féin an tslí chneasta charthanach a leanúint agus sonas a bheith air dá dhroim sin agus taibhse Mheárlaí a fhágáil mar a raibh sé san uaigh.

Ach níor chaitheadar an tráthnóna go léir ag gabháil do cheol. Tar éis tamaill bhí cluiche fíneála acu, mar is maith an rud beart leanbaíochta a imirt anois is arís, go mórmhór um Nollaig, óir is san am sin a bhí an Té a chuir an Nollaig ar bun ina leanbh é féin ag imirt. Ach cad é sin agam á rá? Chaitheadar tamall ar dtús ag imirt dalladh púicín. Chaitheadar gan amhras. Agus ní chreidim go raibh Topar dall, ach an oiread is a chreidfinn go raibh súile ina shála aige. Is í mo thuairimse gurbh amhlaidh a ceapadh idir é féin is nia Scrúig é, agus go raibh a fhios ag Taibhse na Nollag seo Láithreach. An chuma gur lean sé an deirfiúr theann úd a raibh an barr lása faoina bráid — ní fhaca tú riamh a leithéid de chleasaíocht. Ag leagadh anuas iarnaí an teaghlaigh, ag titim trasna na gcathaoireacha, á bhualadh féin i gcoinne an ghléis cheoil, á mhúchadh féin i measc na gcuirtíní. Ba chuma cár ghabh sise, ghabh seisean ann leis. Bhí a fhios aige sin i gcónaí cá raibh an deirfiúr theann. Ní bhéarfadh sé ar éinne eile. Dá mbuailfeá ina threoir d'aon am, faoi mar a bhuail cuid acu, thabharfadh sé iarracht ar bhreith ort, mar dhea, faoi mar dá mba amadán thú, agus láithreach baill shleamhnódh sé i leataobh faoi dhéin na deirféar teinne. Is minic, a dúirt sí nár chóir sin, agus go deimhin féin níor chóir, leis. Ach nuair a rug sé uirthi faoi dheireadh, nuair a theanntaigh sé i gcúinne í ná raibh aon dul as aici — cé gur mhinic a d'airigh sé fuaim a cuid síodaí ag éalú thairis — ansin, ba mheasa ná riamh mar ar iompar sé é féin. Mar lig sé air nár aithin sé í gurbh éigin dó cuimilt lena héadach cinn. Agus go mórmhór ná féadfadh sé a bheith cinnte gurbh í a bhí ann go dtí gur fháisc sé fáinne áirithe a bhí ar a méar, agus slabhra áirithe a bhí casta timpeall a muiníl. Ba náireach scannalach an beart é sin. Agus is dealraitheach gur chuir sí an méid seo in iúl dó nuair a bhí an púicín ar fhear eile, agus iad sin araon go mór le chéile laistiar de na cuirtíní.

Ní raibh neacht Scrúig i measc na buíne a bhí ag imirt an dalladh púicín. Bhí sí go compordach di féin i gcathaoir mhór agus stól dá cosa aici, i gcúinne seascair, agus an taibhse agus Scrúg díreach taobh thiar di. Ach bhí sí ag imirt na fíneála, agus ag grá a grá go héachtach le gach litir san aibítir. Ba mhaith an lámh leis í sna cleasa Conas, Cathain, Canad? Agus, rud a chuir áthas i gcroí nia Scrúig, bhuaigh sí caoch ar a deirfiúracha, agus ba chailíní glice iad, leis, mar a neosfadh Topar duit. Bhí timpeall fiche duine ann, idir óg is aosta, ach d'imríodar go léir, agus d'imir Scrúg chomh maith leo, mar chuir sé an oiread sin suime sna nithe a bhí ar siúl gur dhearmad sé nár tháinig fuaim a ghutha go dtí na cluasa agus, dá réir sin, thug sé a thuairim os ard go minic, agus ní hannamh a bhí a thuairim go cruinn mar ní géire a bhí an tsnáthaid b'fhaobhraí a dhéantaí sa Teampall Geal — snáthaid ar a mbeadh geallúint ná gearrfadh sí sa chró — ná mar a bhí Scrúg, cé gur mheas sé a bheith maol go leor.

Bhí an-áthas ar an spiorad é a bheith chomh meidhreach sin, agus bhí sé chomh cneasta leis gur iarr Scrúg mar a d'iarrfadh garsún cead a bheith aige fanúint go n-imeodh na haíonna. Ach dúirt an spiorad nárbh fhéidir an cead sin a fháil.

"Seo cluiche nua," arsa Scrúg. "Leathuair an chloig, a Spiorad, aon leathuair amháin!"

Sa chleas seo darbh ainm Sea agus Ní hEa chuimhnigh nia Scrúig ar rud éigin, agus bhí sé d'fhiacha ar an gcuid eile an rud a sin a dhéanamh amach, agus ní raibh air féin ach Sea nó Ní hEa a fhreagairt ar a gceisteanna. Ó na ceathanna ceisteanna a cuireadh chuige ba léir go raibh sé ag cuimhneamh ar ainmhí éigin, ainmhí beo, ainmhí míthaitneamhach, ainmhí allta; ainmhí a bhéiceadh, a chneadadh ar uairibh, a labhraíodh ar uairibh, a mhair i Londain agus a shiúladh timpeall na sráideanna; ainmhí nár rinneadh ionadh de, agus ná raibh éinne aige mar ghiolla, agus nár mhair in áras na bhfia-ainmhithe is nár maraíodh riamh ar an margadh; ainmhí nár chapall ná asal ná bó ná tarbh ná tíogair ná madra ná muc ná cat ná beithir é. Tháinig scairtíl gháire as an nia seo le gach aon cheist a cuireadh chuige, agus tháinig a leithéid de ghiodam air gurbh éigin dó éirí ina sheasamh as an gcathaoir shínte agus dul ag pramsáil ar an urlár.

Faoi dheireadh, d'imigh an rud céanna ar an

deirfiúr theann, agus dúirt sí: "Tá sé agam! Tá fhios agam cad é féin, a Fhreid. Tá a fhios sin agam!"

"Cad é féin," arsa Freid.

"D'uncail S-c-r-ú-g!"

Ba é sin é, go deimhin. Ní raibh i mbéal éinne a bhí láithreach ach ard-mholadh uirthi, cé go ndúirt cuid acu gur cheart 'Sea' a thabhairt mar fhreagra ar an gceist 'Ar bheithir é?' mar chuirfeadh an freagra 'Ní hea,' Scrúg ar a gcuimhne, cuir i gcás go raibh sé riamh ag rith ina n-aigne.

"Tá sé tar éis meidhir ár ndóthain a thabhairt dúinn, ar aon slí," arsa Freid, agus ba chaillte an bheart dúinn gan a shláinte a ól. Seo gloine fíona te-mhilis ullamh faoinár gcomhair ar an nóiméad seo, agus seo faoi thuairim Uncail Scrúg!"

"Sea! Uncail Scrúg!" a dúradar go léir.

"Nollaig shúgach agus athbhliain shéanmhar chun an tseanduine, cibé rud é!" arsa nia Scrúig. "Ní thógfadh sé uaimse é, ach bíodh sé aige ar aon chuma. Uncail Scrúg!"

Tháinig oiread sin meidhre is éadroime croí ar Scrúg, i ngan fhios dó, go n-ólfadh seisean sláinte na cuideachta, cé nár mhothaíodar é, agus go mbéarfadh sé a bhuíochas dóibh in urlabhra ná haireofaí, dá bhfaighfeadh sé uain chuige ón spiorad. Ach scaipeadh an radharc ar fad le fuaim an fhocail dheireanaigh a labhair nia Scrúig, agus ghluais Scrúg agus an spiorad orthu arís.

Is mór a chonaiceadar, agus is fada a shroicheadar agus is iomaí teach a raibh a gcuairt ann, ach bhí maitheas á dhéanamh acu i gcónaí. Sheas an spiorad le hais leapacha tinnis, agus bhí gach éinne go meidhreach; i dtíortha i gcéin, agus bhíodar cois baile; le hais daoine a bhí i gcruatan, agus tháinig foighne agus muinín ina gcroíthe; le hais na mbocht, agus bhíodar saibhir. In áras na déirce, san ospidéal, sa phríosún, i ngach áit a thugann fothain do lucht an donais, mar ná raibh daoine neamhcharthanacha chun an doras a dhúnadh agus an spiorad a choimeád lasmuigh, d'fhág sé a bheannacht, agus mhúin sé a theagasc do Scrúg.

B'fhada an oíche í, mura raibh ann ach oíche, ach bhí amhras ina thaobh sin ag Scrúg, mar shíl seisean go raibh laethanta saoire na Nollag go léir caite an fhaid a bhíodar i bhfochair a chéile. B'iontach, leis, cé nár tháinig aon athrú ar chruth Scrúig, go raibh an taibhse ag dul i gcríonnacht is i léirchríonnacht. Thug Scrúg an t-athrú seo faoi ndeara ach níor labhair sé focal thairis go rabhadar tar éis cuideachta páirtí a fhágáil istoíche Nollag Bhig; ansin d'fhéach sé ar an spiorad agus iad ina seasamh i bhfochair a chéile lasmuigh, agus thug sé faoi deara go raibh a ghruaig liath.

"An mbíonn saol chomh gairid sin ag na taibhsí?" arsa Scrúg.

"Tá mo shaolsa sa domhan seo an-ghairid ar fad," arsa an spiorad. "Beidh deireadh leis anocht."

"Anocht! arsa Scrúg.

"Anocht i meán oíche. Éist! Tá an uair ag druidim linn."

Bhí na cloig ag bualadh na trí ceathrúna tar éis a haon déag ar an nóiméad sin.

"Maith dom é, mura ceart dom an cheist seo a chur ort," arsa Scrúg, agus é ag iniúchadh bhrat an spioraid, "ach chím rud éigin ait ná baineann leat féin ag sileadh le híochtar do sciorta. An troigh é, nó crúb?"

"Níor mhiste crúb a thabhairt air, maidir lena bhfuil d'fheoil air," a dúirt an spiorad go brónach. "Féach i leith!" Thóg sí amach beirt leanaí a bhí faoina bhrat aige, agus ba dhona, suarach, mídheas, úrghránna an treo a bhí orthu. Chromadar ar a nglúine ag a chosa, agus chuadar in achrann taobh amuigh dá bhrat.

"A dhuine! Féach i leith! Féach! Féach anuas anseo!" arsa an spiorad os ard.

Buachaill is cailín is ea a bhí ann. Bhíodar go buí, suarach, sractha, cancrach, craosach, ach bhíodar go faon, lag, umhal, ina dhiaidh sin féin. In ionad bláth na hóige a bheith ag lonradh trína ngnúis shleamhain, is amhlaidh a bhíodar pioctha, casta, stollta ó chéile mar a leagfaí lámh chríonna fhoirfe an bháis orthu. San áit a mbeadh súil agat le haingil, bhí deamhain fholaithe ag féachaint amach as go bagrach. Ní bhaineann ollphéisteanna leath chomh huafásach is chomh héachtach sin le haon athrú, le haon ísliú, le haon chlaonadh a tháinig ar an gcine daonna riamh in aon chéim ó gineadh ar an talamh iontach seo iad.

Phreab Scrúg i ndiaidh a chúil le corp anfa. Nuair a taispeánadh iad sa chuma sin dó, thug sé iarracht ar a rá gur leanaí breátha iad, ach mhúch na focail iad féin i dtreo ná beadh d'fhiacha orthu cuidiú lena leithéid sin de bhréag.

"An leatsa iad, a spioraid?" arsa Scrúg. Níor fhéad sé a thuilleadh a rá.

"Is leis an gCine Daonna iad," arsa an spiorad, ag féachaint síos orthu. "Agus cloíonn siad liomsa ag déanamh gearáin ar a dtuismitheoirí. Daille is ainm don bhuachaill seo. Agus Easpa is ainm don chailín. Seachain iad araon, agus a leithéid uile. Ach, go mórmhór, seachain an buachaill seo, mar feicim rud éigin scríofa ar a éadan gur ionann é agus an donas, mura rud é go nglanfar amach an scríbhinn sin. Séanaigí é," arsa an spiorad, ag bagairt a láimhe faoi dhéin na cathrach! "Cuirigí éitheach ar an dream a deireann libh é. Admhaígí é d'fhonn na daoine a dheighilt ó chéile, agus déanaigí an scéal níos measa. Agus bíodh a rian oraibh."

"An bhfuil aon choimirce nó fóirithint le fáil acu?" arsa Scrúg.

"Nach bhfuil na príosúin ann? Nach bhfuil tithe na mbocht ann?"

Bhuail an clog an dó dhéag.

D'fhéach Scrúg mórthimpeall ar lorg an spioraid, ach ní raibh sí le fáil. Bhí fuaim an bhuille dheireanaigh ag ciúnú nuair a chuimhnigh sé ar thairngreacht shean-Iacóib Meárlaí. D'fhéach sé in airde agus chonaic sé taibhse throm a raibh culaith is cochall air ag teacht faona dhéin i bhfoirm cheo.

AN CEATHRÚ RANN

An Ceann Deireanach de na Spioraid

Is mall, trom, ciúin a tháinig an taibhse ina dháil. Nuair a tháinig sé ina aice, chrom Scrúg ar a ghlúin mar, dar le duine, gur scaip an taibhse chéanna diandorchadas is mearbhall ar fud an aeir de réir mar a ghluais sé.

Bhí sé clúdaithe in éadach ródhubh a cheil a cheann, a ghnúis is a chruth, agus nár fhág ruainne de le feiscint, ach aon lámh amháin a bhí sínte uaidh amach. Mura mbeadh sin, níorbh fhurasta a chruth a aimsiú seachas an oíche agus níorbh fhurasta é a aithint thar an dorchadas mórthimpeall.

Mhothaigh sé go raibh sé ard maorga nuair a tháinig sé taobh leis agus mhothaigh sé, fós, go raibh dianeagla air an fhaid a bhí sé láithreach. Níor mhothaigh sé a thuilleadh mar nár labhair is nár chorraigh an spiorad.

"Táimse i láthair Spiorad na Nollag atá le Teacht," arsa Scrúg.

Níor fhreagair an spiorad, ach bagairt ar aghaidh lena lámh.

"Tá tusa chun scáthanna na nithe nár thit amach fós, ach a thitfeas amach ar ball, a thaispeáint dom," a dúirt Scrúg. "An mar sin é, a spioraid?"

Crapadh uachtar an bhrait faoina chastaí ar feadh nóiméid, faoi mar a chromfadh an spiorad a ceann. B'in a bhfuair sé de fhreagra.

Cé go raibh taithí mhaith aige ar chuideachta spioradúil faon am seo, bhí oiread sin eagla ar Scrúg roimh an gcruth gan chaint seo, gur chrith a chosa faoi, agus mhothaigh sé gurbh ar éigean a d'fhéadfadh sé seasamh nuair a thosaigh sé ar a leanúint. Stad an spiorad go ceann nóiméid, faoi mar a bheadh an cás ina raibh Scrúg á thabhairt faoi deara aici, agus faoi mar a bheadh sí ag ligint dó teacht chuige féin.

Ach is amhlaidh a chuaigh Scrúg in olcas dá bharr sin. Tháinig scanradh éigin anfúil air nuair a thuig sé go raibh súil spioradúil síordhírithe air féin ó chúl an uaighbhrait dhorcha, agus, cé gur chuir sé neart a shúl féin i léirfheidhm, ná féadfadh sé aon ní a fheiscint ach láimhín taibhseach is carnán mór de rud éigin dubh.

"A Spiorad na hAimsire atá le Teacht," a dúirt sé," is mó an eagla atá agam romhatsa ná roimh aon spiorad eile dá bhfaca fós. Ach ós eolach dom gurbh é atá curtha agat romhat ná maitheas a dhéanamh dom, agus an uair go bhfuil iontaoibh agam go mbeidh mé i m'fhear ní b'fhearr feasta ná mar a bhínn, táim ullamh le himeacht i d'fhochair go toilteanach is go buíoch. Ná labhrófá liom?"

Níor thug sé aon fhreagra air, ach bhí an lámh ag bagairt go díreach rompu.

"Lean ort!" arsa Scrúg. "Lean ort! Tá an oíche ag imeacht go lánmhear, agus is luachmhar an t-am domsa í. Tá a fhios sin agam. Lean ort, a spioraid!"

Dhruid an spiorad uaidh mar a tháinig sé faoina dhéin. Lean Scrúg ar lorg scáil a bhrait. Rug sin leis é, de réir mar a cheap sé, agus d'fhuadaigh chun siúil é.

Is ar éigean a mhothaíodar go rabhadar ag dul isteach sa chathair, b'amhlaidh a phreab an chathair, dar leo, ina dtimpeall ar a son féin. Ach b'in é istigh, ina lár, iad ar aon chuma, i Margadh an Airgid i measc na gceannaithe, agus iadsan ag brostú orthu síos suas, agus ag croitheadh an airgid ina bpócaí, agus ag labhairt le chéile i ngasraí, agus ag féachaint ar a n-uaireadóirí, agus ag láimhseáil a séalaithe óir go machnamhach, agus mar sin dóibh faoi mar a chonaic Scrúg go minic cheana iad.

Sheas an spiorad taobh le gasra beag fear gnó.

Thug Scrúg faoi deara go raibh an lámh dírithe orthu seo, dhruid sé anonn, agus d'éist sé lena gcomhrá.

"Ní hea," arsa fear mór feolmhar a raibh smig éachtach air, "is beag eolas agamsa air, cibé scéal é. Is é is eolach domsa go bhfuil sé tar éis bháis."

"Cathain a cailleadh é?" arsa duine eile.

"Aréir, is dóigh liom."

"Agus, anois, cad a bhí air?" a dúirt an tríú duine, ag tógaint lán-iarrachta as bosca mór snaoise. "Cheapas ná caillfí go deo na ndeor é sin."

"Tá a fhios ag Dia," arsa an chéad duine, ag méanfach.

"Cad atá déanta aige lena chuid airgid?" a d'fhiafraigh duine uasal dearg-ghnúiseach a raibh faithne ag sileadh ó bharr a chaincín agus é ag croitheadh ar nós sprochaille coiligh francaigh.

"Níor chualas-sa," arsa fear na smige móire, ag méanfach arís. "É a fhágaint ag a chuideachta, b'fhéidir. Níor fhág sé agamsa é go háirithe. Sin a bhfuil d'eolas agam."

Bhain an cleas grinn seo gáire astu go léir.

"Is dealraitheach gur an-saor an tsochraid a bheidh ann," arsa an cainteoir céanna, "mar, ar m'anam, ní heol dom éinne beo a rachadh inti. Nach ndéanfaimis féin suas gasra beag, agus dul inti gan cuireadh?"

"Imeodsa má sholáthraítear lón dom," arsa an duine go raibh an faithne lena shrón. "Ach caithfear mé a chothú má théim."

Gáire eile.

"Sea, is mise an fear is lú atá ag féachaint dó féin agaibh go léir," arsa an chéad chainteoir, "mar nár chaitheas lámhainní dubha riamh, agus ní ithim lón ach chomh beag. Ach geallaim daoibh go rachad ann má théann éinne eile. Nuair a chuimhním air, is é mo thuairim gur mhó an cion a bhí aige ormsa ná ar éinne eile. Mar níor bhuaileamar riamh le chéile ná go stadaimis chun comhrá. Slán libh!"

Bhailíodar go léir leo, cainteoirí is lucht éisteachta, agus scaipeadar láithreach i measc na ndaoine a bhí cruinnithe thall is abhus. D'aithin Scrúg na fir, agus d'fhéach sé faoi dhéin an spioraid le súil go bhfaigheadh sé míniú éigin ar an scéal uaidh.

Shleamhnaigh an spiorad go ciúin isteach i sráid. Bhagair a mhéar ar bheirt fhear a bhuail le chéile. D'éist Scrúg arís, agus súil aige go mbeadh an míniú le fáil uathu seo.

D'aithin sé na fir seo, leis, go cruinn. Fir ghnó ab ea iad; an-saibhir agus an-tábhachtach. Ba ghnách leis i gcónaí an rud a dhéanamh a mhéadódh a cháil i dtuairim na ndaoine seo, is é sin i dtaobh gnó, agus i dtaobh gnó amháin.

"Conas atá tú?" arsa duine acu.

"Conas atá tú féin?" arsa an dara duine.

"Sea," arsa an chéad duine. "Tá a scar féin fágtha ag sean-Scríob sa deireadh, ná fuil?"

"Seo mar a chloisim," a dúirt an dara duine. "Tá an uain fuar, ná fuil?"

"Séasúrach, mar le haimsir na Nollag. Ní shleamhnaíonn tú ar leac oighir, is dócha?"

"Ní shleamhnaíonn, go deimhin. Tá cúram éigin eile orm. Slán leat!"

Ní raibh focal eile as. B'in é a mbualadh le chéile, a gcomhrá, agus a scarúint.

Bhí ionadh ar Scrúg ar dtús an spiorad ag cur an oiread sin suime i gcomhrá chomh suarach, ach nuair a thuig sé go raibh brí éigin rúnach leis, luigh sé ar an mbrí sin a bhreathnú. Níorbh fhéidir go mbeadh aon bhaint aige le bás Iacóib, a sheanchompánach, mar bhain sé sin leis an Aimsir a bhí Caite, agus ba é cúram an spioraid an Aimsir a bhí le Teacht. Is níorbh fhéidir leis cuimhneamh ar éinne dá ghaolta féin a mbainfeadh an comhrá sin leis. Ach ní raibh aon amhras aige — ba chuma cé leis a bhain sé — ná go raibh teagasc éigin ann chun a leasa féin, agus dá réir sin a cheap sé ina aigne go dtabharfadh sé aire mhaith do gach focal dá gcloisfeadh sé, is do gach ní dá bhfeicfeadh sé, agus, go mórmhór, a scáth féin a thabhairt go géar faoi deara chomh luath is a thiocfadh sé os a chomhair. Mar bhí iontaoibh aige go dtabharfadh a iompar féin dó boladh an scéil a bhí uaidh, agus go réiteodh sé na tomhais rúnacha seo a bhí ag déanamh buartha dó.

D'fhéach sé timpeall na háite sin ar lorg a íomhá féin, ach sheas fear eile ina ghnáthchúinne agus, cé gur bhagair an clog gurbh in í an uair gur ghnách leis a bheith láithreach, ní fhaca sé rian ná tuairisc dá íomhá

féin i measc na sluaite a bhí ag gluaiseacht isteach tríd an bpóirse. Is beag an t-ionadh a chuir sin air go háirithe, mar bhí sé ag cuimhneamh ar athrú saoil ina aigne féin, agus bhí súil aige gurbh é seo an comhartha go raibh a nua-rún ag dul chun cinn anseo.

Is ciúin, dorcha a sheas an spiorad lena ais, a lámh sínte uaidh amach. Nuair a dhúisigh sé é féin ón machnamh dúthrachtach seo shíl sé, ar chasadh na láimhe, agus ar an tslí a raibh sé dírithe air féin, go raibh na súile folaithe úd á iniúchadh go róghéar. Chuir seo ag crith é le fuacht is le dian-eagla.

D'fhágadar an láthair ghnóthach seo agus chuadar isteach go hionad dorcha den chathair nár aimsigh Scrúg riamh roimhe sin, cé gur aithin sé an láthair agus an droch-cháil. Bhí na bealaí go salach cúng, na siopaí is na tithe go mídheas, na daoine ar meisce, leathnocht, sleamchúiseach, gránna. B'ionann na póirsí is na lánaí agus poill phludaigh, ag ath-teilgean drochbheatha, drochbholadh sú is salachair, amach ar na sráideanna meata, agus bhí an áit ar fad lán de dhrochbhearta is de bhrocamas is de dhonas.

I bhfad isteach san ionad náireach seo, bhí siopa ceann-íseal mar a gceannaítí iarann, seancheirteacha, buidéil, cnámha agus dríodar smeartha. Ar an urlár istigh bhí eochracha meirgeacha, tairní, slabhraí, tuislí, fonsaí, scálaí, tomhais, agus smutaí seaniarainn bailithe le chéile ina gcarnáin. Ceapadh is folaíodh rúin nár mhaith le cách a scrúdú faoi chnocáin seanéadach, cairn dreo-bhlonaige, agus reiligí cnámha. Ina suí istigh i measc na n-earraí seo a bhí á ndíol aige cois ionaid tine déanta de sheanbhricí, bhí sean-chladhaire liath timpeall deich mbliana is trí fichid d'aois. Bhí sé clúdaithe ón bhfuacht le cuirtín giobalach a bhí ar crochadh ó shúgán agus bhí sé ag caitheamh a phíopa go sólásach sa chiúnas suáilceach a bhí ina thimpeall.

Tháinig Scrúg agus an spiorad i láthair an duine seo go díreach mar a bhí bean a raibh beart trom uirthi ag sleamhnú isteach sa siopa. Ach is ar éigin a bhí sí seo istigh nuair a tháinig bean eile isteach agus ualach trom uirthi, leis. Ba ghearr ina dhiaidh sin gur bhuail fear isteach, bhí seanéadach liathdhubh air, agus ní mó an t-ionadh a bhí air sin ná mar a bhí ar an mbeirt eile nuair a d'aithníodar go léir a chéile. Tar éis tamaillín a chaitheamh i bhfíoriontas thosaíodar a dtriúr ar dhianscairteadh.

"Ní féidir tosach a bhaint de bhean an scuabtha!" arsa an bhean a tháinig isteach ar dtús. "Ní féidir an dara háit a bhaint de bhean an níocháin, agus ní féidir an tríú háit a bhaint de bhuachaill an adhlacóra. Féach i leith orm a shean-Jó. Ar ámharaí an tsaoil, mar a bhuaileamar ár dtriúr le chéile anseo gan coinne leis!"

"Ní fhéadfadh sibh bualadh le chéile in áit ní b'oiriúnaí," arsa sean-Jó, ag baint an phíopa as a bhéal. "Buail isteach sa pharlús. Tá cead saor le fada agatsa chun dul isteach ann, agus ní coigríochaigh an bheirt eile ach chomh beag. Fan go ndúnfaidh mé doras an tsiopa. Á! Mar a scréachann sé. Ní dóigh liom go bhfuil blúire miotail timpeall na háite chomh meirgeach lena thuislí sin féin, agus táim cinnte ná fuil aon sean-chnámha chomh caite le mo chuidse. Á-há! Táimid go léir oiriúnach dár ngnó, is oirimid dá chéile go han-mhaith. Buailigí isteach sa pharlús. Isteach libh."

Ba é an parlús an áit a bhí laistiar de chuirtín na gceirteach. Chruinnigh an seanduine an tine le chéile le seanchleith staighre, agus ansin bhain sé an smuga dá lampa deataigh le cos a phíopa (mar bhí an oíche fós ann) agus sháigh an píopa isteach ina bhéal arís.

An fhaid a bhí sé ag gabháil dó seo, chaith an bhean a bhí tar éis labhairt cheana a beart féin ar an urlár agus shuigh síos ar stól go mómhaireach, ag cur a huillinn trasna ar a chéile ar a glúine, agus ag féachaint go dána neamhspleách ar an mbeirt eile.

"Nach mar a chéile é? Nach ea anois, a Mháistreás Dilbear? Is ceart do gach éinne aire a thabhairt dó féin, agus is eisean a thug aire dó féin i gcónaí."

"Is fíor duit, go deimhin!" arsa bean an níocháin. "Ba é ab fhearr chuige sin."

"Is ea, mar sin, ná seas ansin agus an scaimh sin ort, faoi mar a bheadh eagla ort, a bhean! Cá bhfios d'éinne? Ní bheimid ag cúlchaint ar a chéile."

"Ní bheidh, go deimhin," arsa Máistreás Dilbear agus an fear d'aonghuth. "Sin é ná beimid."

"Tá go maith!" arsa an bhean. "Déanfaidh sin. Cé

a mhothódh ní nó dhó mar seo? Ní duine marbh! An ea?"

"Ní hea, muise," arsa Máistreás Dilbear, ag gáire.

"Má theastaigh uaidh iad a choimeád tar éis a bháis, an seanraispín millteach," a dúirt an bhean, "cad ina thaobh nár mhair sé ar nós an domhain an fhaid is a bhí sé beo? Dá mairfeadh, bheadh duine éigin aige chun féachaint ina dhiaidh nuair a bhuail an bás é, in ionad na hanála a thabhairt ansin ina aonar."

"Sin é an focal is fírinní a labhraíodh riamh," arsa Máistréas Dilbear. "Is maith an díol air é."

"Ba mhaith liom dá mbeadh an díol beagáinín ní ba throime," arsa an bhean, "agus bheadh, ná bíodh eagla ort, dá bhféadfainnse mo lámha a bhualadh ar aon ní eile. Scaoil an beart sin, a shean-Jó, agus inis dom a luach. Labhair amach go soiléir. Níl eagla ormsa a bheith i dtosach, ná eagla orm i dtaobh iad seo a fheiscint. Bhí a fhios againn go maith, creidim, go rabhamar ag cuidiú linn féin sular bhuaileamar le chéile anseo, ní haon pheaca é. Scaoil an beart, a Jó."

Ach ní cheadódh galántacht a chompánach an ní sin agus phreab an fear a bhí clúdaithe i liathdhubh ar tosach ina hionad, agus thaispeáin sé dóibh a shlad féin. Níor rómhór an slad é. Séala nó dhó, cumhdach pinn luaidhe, dhá chnaipe muinchille, agus biorán brollaigh gur shuarach ab fhiú é, sin a raibh aige. Scrúdaigh sean-Jó gach ceann acu, agus chuir sé luach faoi leith orthu, scríobh sé luach gach earra ar an mballa le cailc, agus chaith sé suas an t-airgead go hiomlán nuair a chonaic sé ná raibh a thuilleadh le teacht.

"Sin é do chuntas," arsa Jó, "agus ní thabharfainn réal eile dá mbeireofaí mé ina thaobh. Cé hé an chéad duine eile?"

Ba í Máistreás Dilbear an chéad duine eile. Braillíní agus tuáillí, beagáinín éadaigh, dhá spúnóg airgid den tseanaimsir, péire tlú siúcra, agus roinnt buataisí. Cuireadh a cuntas sin ar an mballa mar a chéile.

"Tugaim an iomarca do na mná i gcónaí. Sin locht atá orm, agus mar sin is ea a chreachaim mé féin," arsa sean-Jó. "Sin é do chuntas. Dá bhfiafrófá pingin eile orm, agus an margadh a athdhéanamh, dhéanfainn aithrí i dtaobh a bheith chomh flaithiúil, agus leagfainn anuas leathchoróin."

"Agus anois scaoil mo bheartsa, a Jó," arsa an chéad bhean.

Chrom Jó ar a ghlúine i dtreo go bhféadfadh sé é a scaoileadh ní b'áisiúla, agus tar éis mórán snaidhmeanna a scaoileadh, tharraing sé amach rolla mór de stuif dhubh éigin.

"Cad é seo?" arsa Ió. "Cuirtíní leapa?"

"Á!" arsa an bhean, ag gáire agus ag cromadh agus ag fáil teannta óna géaga agus iad casta ar a chéile. "Cuirtíní leapa!"

"Ní hamhlaidh a deir tú gur bhain tú anuas iad, fáinní agus uile, agus eisean sínte sa leaba?" arsa Jó.

"Sin é a deirim," a dúirt an bhean. "Cad ina thaobh ná déanfainn?"

"Tá sé i ndán duit saibhreas a bhailiú," arsa Jó, "agus baileoidh tú é, gan amhras."

"Níl baol go gcuirfidh mé cosc le mo lámh, más féidir liom rud éigin a fháil ach í a shíneadh amach, ar son fir dá shaghas sin, geallaim duit, a Jó," a dúirt an bhean go réidh. "Ná doirt an íle sin ar na blaincéid anois."

"A bhlaincéid siúd?" arsa Ió.

"Cé eile, an dóigh leat?" a dúirt an bhean. "Ní baol dó fuacht a fháil ina n-éagmais, sílim."

"Tá súil agam nach aon ní tógálach a chuir chun báis é?" arsa sean-Jó, ag tabhairt sos dá chuid oibre agus ag tógaint a chinn.

"Ná bíodh aon eagla ort ina thaobh sin," a dúirt an bhean. "Nílimse chomh ceanúil ar a chuideachta agus go ndéanfainn moill taobh leis mar gheall ar rudaí mar sin dá mbeadh an scéal amhlaidh. Á! Bí ag féachaint ar an léine go dtiocfaidh tinneas ar do shúile, agus ní bhfaighidh tú poll inti ná paiste lomchaite. Is í an ceann is fearr a bhí aige í, agus ceann álainn leis is ea í. Loitfidís í mura mbeadh mise."

"Cad air a dtugann tú *a lot*?" arsa sean-Jó.

"Í a chur air le haghaidh a churtha, gan amhras," a dúirt an bhean, agus gháir sí. "Bhí duine éigin chomh mór d'óinseach agus gur chuir sé air í, ach bhain mise de arís í. Mura bhfuil ceaileacó maith go leor chuige sin ní fiú aon ní é. Tagann sé chomh maith don chorp gach aon phioc. Ní fhéadfadh sé féachaint níos gránna ná mar a d'fhéach sé sa cheann sin."

D'éist Scrúg leis an gcomhrá seo agus dianeagla air. An fhaid is a shuíodar ansin timpeall a slada faoin lagsholas a thug lampa an tseanduine uaidh, d'amharc sé iad le fuath is gráin ná féadfadh a bheith ní ba mhó dá mba deamhain ghráiniúla iad ag reic an choirp féin.

"Á-há!" arsa an bhean chéanna, nuair a tharraing sean-Jó mála flainín a raibh airgead ann chuige, agus chomhair a raibh le fáil ag gach duine acu amach ar an talamh. "Seo a dheireadh, féach! Chuir sé scanradh ar gach éinne, á gcoimeád uaidh an fhaid is a bhí sé beo, d'fhonn tairbhe a dhéanamh dúinne, tar éis bháis dó! Ha-ha-ha!"

"A spioraid!" arsa Scrúg, ag dianchrith ó bhun barr. "Tuigim, tuigim. Ní fios ná go mbeinnse féin sa treo ina bhfuil an fear mí-ádhúil seo. Tá a dhealramh orm faoi láthair. A Dhia na Trócaire, cad é seo?"

Thit sé go dianeaglach ar gcúl, mar bhí radharc eile os a chomhair, agus ba dhóbair dó bualadh i gcoinne leapa a bhí ansin go lom gan cuirtín ar bith. Faoin mbraillín gioblach bhí rud éigin sínte inti go lánchlúdaithe agus, cé go raibh sé balbh, chuir sé in iúl é féin le hurlabhra uafásach.

Bhí an seomra an-dorcha, ródhorcha chun é a iniúchadh go cruinn, cé gur fhéach Scrúg mórthimpeall air — óir ghríosaigh mian a chroí istigh é — d'fhonn a fhios a bheith aige cad é an saghas seomra a bhí ann. D'éirigh lagsholas san aer lasmuigh, agus thit go díreach ar an leaba ina raibh corp an fhir seo sínte go creachta, dealbh, gan faire gan tórramh air.

D'fhéach Scrúg faoi dhéin an spioraid. Bhí a réidhlámh dírithe ar an gceann. Bhí an clúdach chomh neamhcheartaithe sin go mbeadh an aghaidh le feiscint dá n-ardófaí an rud is lú sa domhan é, fiú le corraí méire Scrúig. Bhí sé ag cuimhneamh ar an aghaidh a nochtadh, mhothaigh sé gur rófhurasta é a dhéanamh, agus bhí fonn a dhéanta leis air, ach ní raibh sé ina chumas an clúdach a ardú ach chomh beag is a d'fhéadfadh sé an spiorad a bhí taobh leis a dhíbirt.

Ó, a bháis na fuaire, a chrua-bháis mhilltigh, cuir d'altóir anseo agus bíodh an altóir sin chomh huafásach agus is féidir leat í a dhéanamh! Ach an ceann geanúil urramach onórach seo, níl sé i do chumas dlaoi de a chur chun úsáide de réir do thola uafásaí féin, ná a ghné a chur faoi míshlacht. Ní hea go bhfuil an lámh trom agus go leagfar í nuair a bhogfar di, ní hea go bhfuil an croí agus an chuisle gan phreab, ach go raibh an lámh sin oscailteach, flaithiúil, fíor; an croí úd cróga grách truamhéalach; agus gur chuisle fir an chuisle sin. Buail, a scáil, buail! Agus féach mar a séidfear a dhea-ghníomhartha ón gcréacht chun beatha shíoraí a shíolú faoin saol.

Níor labhair aon ghuth na focail seo i gcluas Scrúig, ach ina dhiaidh sin agus uile, chuala sé iad, ag féachaint ar an leaba dó. Is é a bhí ag rith ina aigne, dá bhféadfaí an fear seo a thógaint ón mbás anois, cad iad na smaointe is túisce a thiocfadh ina chroí? An mbeadh sé ag cuimhneach ar shaint, ar dhianmhargadh, ar chúramaí millteacha an tsaoil? Á! Is deimhin gur chuir na nithe sin críoch an tsaibhris air i gceart!

Bhí sé sínte sa teach dorcha folamh sin gan fear, gan bean, gan páiste a déarfadh: Is é a bhí go maith domsa mar seo nó mar siúd, agus mar chomhartha cuimhne ar aon dea-fhocal amháin beidh mise go maith dó anois. Bhí cat ag réabadh ag an doras, agus bhí fuaim chreimeadh na bhfrancach faoi leac an tinteáin. Cad a bhí *uathusan* i seomra an bháis, agus cad ina thaobh a raibh an oiread sin míshuaimhnis agus trí chéile orthu — siúd ceisteanna a raibh eagla ar Scrúg iad a réiteach.

"A spioraid," a dúirt sé, "is uafásach an áit í seo. Ar a fágáil dom ní dhéanfaidh mé dearmad ar an gceacht a múineadh dom, creid mé leis. Bímis ar siúl."

Bhagair an spiorad méar neamhchorraithe ar an gceann.

"Tuigim thú," arsa Scrúg, "agus dhéanfainn é dá bhféadfainn. Ach níl sé ar mo chumas, a spioraid. Níl sé ar mo chumas."

"D'fhéach an spiorad arís air, ba dhóigh leis.

"Má tá éinne sa chathair a mhothaíonn bás an fhir seo," arsa Scrúg go fíorchráite, "taispeáin dom an duine sin, a spioraid, achainím ort é!"

Leath an taibhse a bhrat dorcha os a chomhair ar feadh nóiméid, ar nós sciatháin agus, nuair a tharraing sé chuige arís é, taispeánadh seomra dó, le solas an lae, a raibh an mháthair agus a páistí ann.

Bhí súil dhíograiseach aici le duine éigin, mar shiúl sí síos suas an seomra, phreab sí le gach fuaim, d'amhairc amach ón bhfuinneog, d'fhéach ar an gclog, thug iarracht ar a oibriú lena snáthaid, ach theip uirthi agus is ar éigin a d'fhéadfadh sí cur suas le glór a leanaí agus iad ag súgradh dóibh féin.

Faoi dheireadh, chualathas an bualadh sin ar an doras a raibh coinne leis le fada. Phreab sí go dtí an doras i gcoinne a fir — fear a raibh drochdhealbh ghruama air, cé go raibh sé óg. Bhí féachaint neamh-choitianta ina ghnúis anois, saghas fíorbhród, a raibh náire air ina thaobh agus a ndearna sé a dhícheall chun a mhúchta.

Shuigh sé síos chun an dinnéir a bhí á thaisceadh dó le hais na tine, agus nuair a d'fhiafraigh sí de os íseal cad é an scéal a bhí aige (tar éis tamaill mhaith ina dtost dóibh) ba dhóigh leat ná feadair sé conas freagra a thabhairt uirthi.

"An bhfuil an scéal go maith nó go holc agat?" ar sí, d'fhonn cabhrú leis.

"Go holc," ar seisean.

"Táimid creachta glan?"

"Nílimid. Tá ábhar dóchais fós againn, a Chearoilín."

"Sea! Má bhogann seisean," a dúirt sí, agus ionadh uirthi. "Ní miste muinín a bheith as gach ní má thit a leithéid seo de mhíorúilt amach."

"Ní féidir dó bogadh anois," a dúirt a fear. "Tá sé tar éis bháis."

Ba chiúin foighneach an créatúr í, dá gcreidfeá a féachaint, ach bhí áthas a croí uirthi i dtaobh an scéil sin, agus ba é sin an fáth ar dhlúthaigh sí a bosa le chéile. D'iarr sí maithiúnas láithreach baill, agus tháinig aiféala uirthi. Ach an buíochas, ba é sin chéadsmaoineamh a croí, dáiríre.

"An rud a dúirt an bhean leathmheisciúil, ar thráchtas thairsti aréir, liom nuair a thugas iarracht ar é a fheiscint, agus spás seachtaine a fháil, agus gur cheapas-sa ná raibh ann ach leithscéal chun mo shéanta; ní raibh ann ach an fhírinne. Ní hamháin go raibh sé an-bhreoite, bhí sé ag fáil bháis an uair sin."

"Cé dó a dtabharfar ceart ár bhfiacha a fháil?"

"Ní fheadar, ach roimhe sin, beidh an t-airgead againn, agus mura mbeidh féin, ba dhona an rath é dá mbeadh an té a thiocfadh ina dhiaidh chomh dian ar na fiacha leis. Is féidir linn an oíche a chodladh go suaimhneach, a Chearoilín!"

Is ea. Ba chuma conas mar a bhogfaidís an scéal, bhí a gcroí ní b'éadroime. Agus aghaidheanna na bpáistí a bhí cruinnithe go ciúin mórthimpeall ag éisteacht lena raibh ar siúl, cé gur bheag a thuigeadar é, bhíodar ní ba shoilbhre, agus ba shéanmhaire a bhí an teaghlach de bharr bhás an fhir seo. An t-aon chomhartha amháin a d'fhéad an spiorad a thaispeáint dóibh de bharr na nithe seo, comhartha lúcháire ab ea é.

"Feicim truamhéala éigin ag baint leis an mbás," arsa Scrúg, "nó beidh an seomra dorcha úd a d'fhágamar anois, a spioraid, os mo chomhair go deo."

Sheol an spiorad é trí mhórán sráideanna a raibh seantaithí ag a chosa orthu agus, de réir mar a ghluaiseadar, d'fhéach Scrúg anseo is ansiúd chun é féin a aimsiú, ach ní raibh sé le feiscint in aon-bhall. Chuadar isteach go tigh Bhob Chraitit, an áit chónaithe a dtug sé turas cheana air, agus fuaireadar an mháthair agus na leanaí ina suí timpeall na tine.

Bhí gach aon ní go ciúin. Go han-chiúin. Bhí na Craitití beaga glóracha chomh ciúin le híomhánna i gcúinne an tí ag féachaint suas ar Pheadar a raibh leabhar aige ina lámh. Bhí an mháthair agus a hiníon-acha ag fuáil. Ach, gan amhras, bhíodar an-chiúin.

"'Agus thóg sé leanbh, agus chuir sé ina measc é.'"

Cár chuala Scrúg na focail seo? Ní hamhlaidh a taibhsíodh dó iad. Ní foláir nó gurbh amhlaidh a léigh an buachaill amach iad, agus iad ag dul thar thairseach an dorais. Cad ina thaobh nár lean sé air?

Chuir an mháthair a cuid oibre ar an mbord agus bhuail sí a lámh suas lena haghaidh.

"Gortaíonn an dath mo shúile," a dúirt sí.

An dath? Á! A Thaidhgín Chaoil Bhoicht!

"Tá siad ar fónamh anois arís," arsa bean Chraitit.

"Lagaíonn solas coinnle iad agus, ar an saol, ní bheadh súile boga agam os comhair d'athair nuair thiocfaidh sé abhaile. Ní fada óna am anois é."

"Nach ndéarfá go bhfuil sé thairis," arsa Peadar, ag dúnadh a leabhair. "Ach is dóigh liom gur shiúil sé beagáinín ní ba mhoille ná mar ba ghnách leis na tráthnónta seo a d'imigh tharainn, a mháthair."

Bhíodar go han-chiúin arís. Sa deireadh dúirt sí de ghuth soilbhir sólásach nár staon ach aon uair amháin: "Chonacsa uair ag siúl é — chonacsa ag siúl é, agus Taidhgín Caol ar a ghualainn go han-éasca ar fad."

"Agus chonacsa leis é," a dúirt Peadar. "Go minic."

"Agus mise leis," a dúirt duine eile. Ba é an scéal céanna acu go léir é.

Ach bhí sé an-éadrom le hiompair, a dúirt sí, ag gabháil dá chuid oibre go dúthrachtach, "agus bhí an oiread sin ceana ag a athair air nárbh aon dua dó é, aon dua in aon chor. Agus sin é d'athair ag an doras."

Rith sí amach ina choinne agus tháinig Bob beag isteach agus a charbhat air agus gá ag an bhfear bocht leis. Bhí a chuid tae ullamh ar an iarta roimhe, agus bhí formad le chéile acu go léir a fhéachaint cé acu is mó a chuirfeadh slacht air chuige. Ansin tháinig an bheirt Chraitit óga ar a ghlúine agus lig gach duine acu a leiceann beag ar a ghnúis faoi mar a bheidís a rá: "Ná bac leis, a athair. Ná bíodh brón ort!"

Bhí Bob an-lúcháireach leo, agus labhair sé go

sultmhar leis an líon tí ar fad. D'fhéach sé ar an obair a bhí ar an mbord, agus mhol sé saothar agus tapúlacht Mháistreás Chraitit agus na gcailíní. Bheidís ullamh i bhfad roimh an Domhnach, a dúirt sé.

"Dé Domhnaigh! Is amhlaidh a chuaigh tú ann inniu mar sin, a Riobaird," a dúirt a bhean.

"Is ea, a stór," a dúirt Bob. "Ba mhaith liom dá bhféadfása dul ann. Dhéanfadh sé maitheas duit áit chomh glas leis a fheiscint. Ach feicfidh tú go minic é. Gheallas dó go siúlfainn ann gach Domhnach. Mo leanbh beag beag!" arsa Bob. "Mo leanbh beag!"

Níorbh fhéidir leis a chumha a cheilt. Ní raibh leigheas aige air. Dá mbeadh, bheadh sé féin is a pháiste ní ba shia ó chéile, b'fhéidir, ná mar a bhíodar.

D'fhág sé an seomra agus chuaigh sé suas an staighre go dtí an seomra a bhí thuas. Bhí an seomra seo lasta go soilbhir, agus dealramh na Nollag air. Bhí cathaoir socraithe in aice an linbh, agus d'aithneofá go raibh duine éigin inti le déanaí. Shuigh Bob bocht sa chathaoir agus, tar éis beagáin machnaimh, agus nuair a tháinig sé chuige féin, phóg sé an aghaidh bheag. Bhí sé sásta lenar thit amach, agus tháinig sé anuas arís go lánsásta.

Bhailíodar timpeall na tine agus luíodar ar chomhrá, agus bhí na cailíní agus an mháthair ag obair leo. Thrácht Bob ar fhlaithiúlacht nia Scrúig ná faca sé riamh, geall leis, ach aon uair amháin, agus nuair a bhuail sé sa tsráid leis an lá úd — agus chonaic gur fhéach sé beagán, "díreach beagáinín doilbh, tá a fhios agat," a dúirt Bob — d'fhiafraigh sé cad a thit amach chun buairt a chur air. "Leis sin," a dúirt Bob, "mar is é an duine is dea-labhartha dá chuala tú riamh é, d'insíos dó. 'Tá brón croí orm ina thaobh, a Mhic Uí Chraitit,' ar seisean, 'agus brón croí orm i dtaobh do dhea-mhná.' Ag tagairt don scéal, conas mar a bhí eolas riamh aige air sin, ní fheadar."

"Eolas cad air, a stór?"

"Go raibh tusa i do dhea-bhean," a dúirt Bob.

"Tá a fhios sin ag gach éinne," arsa Peadar.

"Is maith an áit go raibh tú, a bhuachaill!" arsa Bob. "Tá dóchas agam go bhfuil a fhios. 'Tá dólás croí orm,' a dúirt sé, 'ar son do dhea-mhná. Más féidir liom aon mhaitheas a dhéanamh duit,' a dúirt sé, ag tabhairt cárta a bhfuil a ainm ann dom, 'sin mar a chónaím. Tar chugam, an dtiocfaidh?' Féach," arsa Bob, "ní i dtaobh aon ní a d'fhéadfadh sé a dhéanamh dúinn, ach mar gheall ar a shlí ghrámhar, gur ró-aoibhinn liom na focail sin. Dar leat, go dearfa, gurbh amhlaidh a bhí aithne aige ar Thaidhgín Caol, agus gur ghoill an cás air."

"Táim deimhneach gur fear maith é," arsa Máistreás Craitit.

"Bheifeá deimhneach de, a stór," arsa Bob "dá bhfeicfeá é agus dá labharfá leis. Ní chuirfeadh sé aon ionadh orm — cuimhnigh ar a bhfuil á rá agam — dá bhfaigheadh sé obair ní b'fhearr do Pheadar."

"An airíonn tú é sin, a Pheadair?" arsa Máistreás Craitit.

"Agus ansin," a dúirt duine de na cailíní, "beidh Peadar ag gabháil le duine éigin eile, agus ag déanamh dó féin."

"Éist do bhéal!" arsa Peadar, ag miongháire.

"Ní dhéanfainn amhras de," arsa Bob, "lá de na laethanta seo, cé go bhfuil go leor aimsire chuige sin, a dhalta. Ach is cuma conas nó cathain a scarfaimid le chéile, táim cinnte ná déanfaidh éinne againn dearmad ar Thaidhgín Caol, an ndéanfaimid? — nó ar an gcéad scaradh seo a bhí eadrainn?"

"Ní dhéanfaidh go deo, a athair," ar siad go léir.

"Agus tá a fhios agam," arsa Bob, "tá a fhios, a stór, nuair a chuimhneoimid go raibh sé chomh foighneach, chomh ciúin agus a bhí — cé ná raibh ann ach linbhín beag — ná troidfimid eadrainn féin gan fáth, ar eagla dearmad a dhéanamh ar Thaidhgín Caol de bharr na troda sin."

"Ní dhéanfaidh, ní dhéanfaimid go deo, a athair," ar siad go léir arís.

"Táim an-sásta," arsa Bob beag, "táim sásta!"

Phóg Máistreás Craitit é, phóg a iníonacha é, phóg an bheirt Chraitit óga é, agus chroith sé lámh Pheadair. A spioraid Thaidhgín Chaoil, is ó lámh Dé a tháinig d'óg-bhrí.

"A spioraid," arsa Scrúg, "taispeánann rud éigin dom go mbeimid ag scarúint le chéile láithreach. Tá a fhios agam, ach ní fheadar conas. Inis dom cérbh é an fear sin a chonaiceamar sínte marbh?"

Rug Spiorad na Nollag a bhí Fós le Teacht leis mar ba ghnách é, cé nárbh ionann tráth — dar leis, go deimhin, ní raibh aon riaradh sna haislingí deireanacha seo ach go rabhadar go léir san Am le Teacht — rug sé leis isteach go gnáthionaid na bhfear gnó é, ach níor thaispeáin sé é féin dó. Go deimhin, níor fhan an spiorad le haon ní, ach dul go díreach ar aghaidh, faoi mar a bheadh sé ag teacht chun deiridh mar ar theastaigh uaidh, go dtí gur iarr Scrúg air fanúint go ceann nóiméid.

"An chúirt seo," arsa Scrúg, "a ngluaisimid tríthi anois, is í seo m'ionad gnó faoi láthair, agus le tamall maith. Feicim an teach. Taispeáin dom conas mar a bheidh mé sna laethanta atá le teacht."

Stad an spiorad. Bhí an lámh dírithe ar áit éigin eile.

"Sin é thall an teach," a dúirt Scrúg. "Cad chuige a bhfuil tú ag díriú do mhéire i gcéin?"

Níor tháinig athrú sa lámh do-riartha sin.

Bhrostaigh Scrúg go fuinneog a oifige, agus d'fhéach isteach. Oifig ab ea fós í, ach níor leis féin anois í. Níorbh é an troscán céanna a bhí inti agus níorbh é féin a bhí sa chathaoir. Bhagair an spiorad mar ba ghnách.

Tháinig sé suas leis arís. Bhí ionadh air cad chuige ar imigh sí, agus cá háit, agus d'fhan sé lena cois gur shroicheadar geata iarainn. Stad sé chun féachaint timpeall roimh dhul isteach dó.

Reilig a bhí ann. Anseo díreach a bhí an fear mí-ádhúil úd ar theastaigh a ainm uaidh, ina luí faoin bhfód. B'oiriúnach an áit í. Bhí tithe á fothainiú mórthimpeall. Bhí sí múchta le féar is le salachar — nithe a thagann chun cinn trí bhás an fhíorfháis, agus ní lena neart — bhí sí tachta suas le hiomarca adhlactha, beathaithe ó ghoile shíorshásta. B'oiriúnach an áit í.

Sheas an spiorad i measc na n-uaigheanna agus bhagair síos ar cheann acu. Dhruid Scrúg in aice na huaighe sin, agus critheagla air. Bhí an taibhse díreach mar a bhíodh, ach bhraith sé ar a chiúinchruth go raibh fuadar neamhghnách fúithi.

"Sula dtiocfaidh mé níos gaire don chloch sin a bhfuil tú ag bagairt uirthi," arsa Scrúg, "freagair aon cheist amháin dom: An iad seo scáthanna na nithe a chomhlíonfar, nó an bhfuil iontu ach scáthanna na nithe ar féidir a chomhlíonadh?"

Bhagair an spiorad, mar a chéile, síos ar an uaigh a bhí ina haice.

"Bíonn críoch áirithe á tuar ag daoine lena gcúrsaí saoil, ach tagann athrú ar an gcríoch sin má athraíonn siad a saol. Abair gur mar seo atá an scéal atá á thaispeáint agat domsa!"

D'fhan an spiorad chomh socair agus a bhí sé riamh.

Dhruid Scrúg leis agus é ag léirchrith — lean sé ag bagairt na méire — agus, ar leac na huaighe uaigní tréigthe sin, léigh sé a ainm féin, “Eibinéasar Scrúg.”

“An mise an fear sin a bhí sínte ar an leaba?” ar sé agus é ar a ghlúine.

Bhagair an mhéar a bhí dírithe ar an uaigh air, agus bhagair sé thar n-ais ar an uaigh.

“Ní mé, a spioraid! Ó, ní mé, ní mé!”

Níor chorraigh an mhéar.

“A spioraid,” a dúirt sé, ag dianghreamú a bhrait, “éist liom! Ní hé an fear céanna feasta mé. Ní bheidh mé chomh holc is nárbh fholáir dom a bheith mura mbeadh an comhrá seo. Cad chuige an ní seo a thaispeáint dom mura féidir mé a leigheas?”

Ba dhóigh leat gur chrith an lámh, rud ná rinne sí go dtí sin.

“A dhea-spioraid,” a dúirt sé, á chaitheamh féin ar an talamh os a comhair, “idirghuíonn do nádúr ar mo shon, agus goilleann mo chás uirthi. Geall dom gur féidir liom fós na scáthanna seo a thaispeáin tú dom a athrú le hathrú mo bheatha?”

Chrith an dea-lámh.

“Tabharfaidh mé urraim don Nollaig i mo chroí, agus caithfidh mé í, más féidir, i rith na bliana go léir. Mairfidh mé san Aimsir atá Caite, san Aimsir atá Láithreach, agus san Aimsir atá le Teacht. Beidh spioraid an triúir ag comhchabhrú liom i mo chliabh. Ní ligfidh mé uaim in aisce a gcuid teagaisc. Ó, inis dom gur féidir liom an scríbhinn ar an gcloch seo a ghlanadh amach!"

I gcorp a ghéirphéine rug sé ar an lámh spioradúil. Thug an lámh iarracht ar í féin a fhuascailt, ach bhí seisean dáiríre ina achainí, agus choinnigh sé í. Bhí an spiorad ní ba thréine ná é agus chuir sé uaidh é.

Ag ardú suas a lámha dó, i bpaidir dheireanach chun malairt críche a fháil, chonaic sé athrú i gcochall agus in éadach an spioraid. Chuaigh sé i laghad, thit sé, agus d'imigh sé diaidh ar ndiaidh go dtí nár fhan sa deireadh ann ach cnaiste leapa.

AN CÚIGIÚ RANN

A Dheireadh

Is ea, agus ba leis féin an cnaiste. Ba leis féin an leaba agus an seomra, agus rud ab fhearr leis ná sin ar fad, ba leis féin an aimsir a bhí roimhe chun leorghníomh a dhéanamh.

"Mairfidh mé san Am atá Caite, san Am atá Láithreach, agus san Am atá le Teacht," arsa Scrúg, agus é ag sleamhnú amach as an leaba. "Beidh spioraid an triúir ag cabhrú liom. Á! A Iacóib Meárlaí! Moladh le Dia agus le féile na Nollag ina thaobh sin. Is ar mo ghlúine a deirim é, a shean-Iacóib, ar mo ghlúine!"

Bhí an oiread sin díograise agus scleondair air i

dtaobh a dhea-rúin gurbh ar éigean a d'fhan fónamh a ghlóir aige. Bhí sé tar éis géarthocht bhrónghoil a chur de ina chathanna leis an spiorad, agus bhí a aghaidh fliuch le deora.

"Níl siad sractha anuas," arsa Scrúg, ag fáisceadh ceann de na cuirtíní leapa ina bhaclainn. "Níl siad sractha anuas lena gcuid fáinní agus uile. Tá siad anseo — tá mise anseo — is féidir scaipeadh a chur ar scáthanna na nithe a thiocfadh chun cinn, agus cuirfear an scaipeadh sin orthu. Tá a fhios agam go gcuirfear!"

Ar feadh na haimsire seo ar fad bhí a lámha go gnóthach lena chuid éadaigh, ag iompú a dtaobh istigh amach, á gcur air féin bunoscionn, á sracadh, á gcailliúint, agus ag imirt gach aon saghas cleasa leo.

"Ní fheadar cad a dhéanfaidh mé?" arsa Scrúg, ag gol agus ag gáire le haon-anáil, agus ag dul i bhfostú ina chuid stocaí. "Táim chomh héadrom le cleite, táim chomh séanmhar le haingeal, táim chomh meidhreach le gasúr scoile, táim chomh giodamach le fear meisce. Nollaig shúgach chun gach éinne! Athbhliain shéanmhar chun an domhain uile. Haló anseo! Hú! Haló!"

Bhí sé tar éis dul isteach sa seomra suí ag damhsa agus b'in é ann anois ina sheasamh é go lán-análach.

"Sin é an coire beag ina raibh an leite," arsa Scrúg, ag tosú arís agus ag dul timpeall an tinteáin.

"Sin é an doras trínar tháinig spiorad Iacób

Mhéarlaí isteach. Sin é an cúinne inar shuigh Spiorad na Nollag seo Láithreach. Sin í an fhuinneog mar a bhfaca mé taibhsí ar seachrán. Tá an scéal go maith. Is fíor é ar fad. Thit sé go léir amach. Hé-hé-hé!"

Go deimhin, do dhuine ná raibh taithí aige air, ba é an gáire álainn é, gáire róghlórmhar, sinsear mórthreibhe de gháirí lonracha.

"Ní fheadar cad é an lá den mhí é," arsa Scrúg. "Ní fheadar cad é an fhaid a bhíos i measc na spiorad. Ní fheadar aon ní. Táim i mo leanbhán arís. Ná bac leis. Is cuma liom. B'fhearr liom a bheith i mo leanbhán. Haló! Hú! Haló anseo!"

Cuireadh cosc lena scleondar le síorbhualadh na gclog chomh tréan sin nár airigh sé riamh a leithéid. Fut fuaim, buailteán, fothram, fuaim, clog! Clog! Fuaim fothram, buailteán, fut, fuaim! Ó, nach breá, nach breá iad.

Rith sé go dtí an fhuinneog agus d'oscail sé í, agus sháigh a cheann amach. Ní raibh ceo ná ceobhrán ann, bhí an uain glan, geal, suáilceach, briosc, fuar — fuar, faoi mar a bheadh sé ag seinm d'fhonn an fhuil a chur ag rince. Ó, an ghrian gheal-thaitneamhach, an spéir neimhe, an t-aer úrmhilis, na cloig mheidhreacha. Ó! nach álainn, nach álainn iad.

"Cad é an lá atá ann?" arsa Scrúg, ag glaoch chun buachalla a raibh a chuid éadaigh Domhnaigh air, a bhuail isteach b'fhéidir chun féachaint timpeall.

"Um?" arsa an buachaill, le mórionadh.

"Cad é an lá atá ann? Maith an buachaill!" arsa Scrúg.

"An lá inniu!" arsa an buachaill. "Lá Nollag, ar ndóigh."

"Is é Lá Nollag é!" arsa Scrúg leis féin. "Níor chailleas é. Rinne na spioraid an gnó go léir in aon oíche amháin. Tá neart acu cibé ní is maith leo a dhéanamh. Tá, ar ndóigh. Tá, ar ndóigh. Haló, a bhuachaill mhaith!"

"Haló!" arsa an buachaill.

"An bhfuil aithne agat ar an éanlaitheoir atá sa tsráid is gaire dó seo ach aon cheann amháin, ag an gcúinne?" arsa Scrúg.

"Tá, is dóigh," arsa an buachaill.

Buachaill dea-mheabhrach," arsa Scrúg. "Buachaill neamhchoitianta! An bhfuil a fhios agat ar dhíoladar an duais-chearc fhrancach a bhí ar crochadh ann. Ní hí an ceann beag, ach an ceann mór?"

"Á! An ceann chomh mór liomsa féin?" arsa an buachaill.

"Buachaill greanta!" arsa Scrúg. "Is mór an sásamh a bheith ag caint leis. Is ea, muise, a lao!"

"Tá sí ar crochadh ann anois," arsa an buachaill.

"An bhfuil?" arsa Scrúg. "Téigh agus ceannaigh í."

"Cad é sin ort?" arsa an buachaill.

"Sea, sea," arsa Scrúg. "Is dáiríre atáim! Téigh agus ceannaigh í, agus abair leo í a thabhairt anseo go dtabharfaidh mise ordú dóibh cá bhfágfaidh siad í.

Fill orm i dteannta an fhir, agus tabharfaidh mé scilling duit. Bí anseo i gceann cúig nóiméad, agus gheobhaidh tú leathchoróin!"

Chuir an buachaill de ar nós piléir. Ní miste a rá go mbeadh lámh shocair ar thruicear ag an té a chuirfeadh piléar as gunna le leath mhire an bhuachalla.

"Cuirfidh mé go dtí Bob Craitit í," arsa Scrúg, ag cogarnach leis féin, "agus ag cuimilt a bhosa dá chéile, agus ag pléascadh, beagnach, le gáire. Ní bheidh a fhios aige cé a chuir ag triall air í. Tá toirt bheirt Thaidhgín Chaoil inti. Ní dhearna an fear grinn riamh cleas magaidh níos fearr ná í a chur chun Bob."

Ba neamhshocair í a lámh ag scríobh an tseolaidh, ach scríobh sé é, ar aon chuma, agus síos an staighre leis chun doras na sráide a oscailt d'fhonn é a bheith réidh d'fhear an éanlaitheora. An fhaid is a bhí sé ina sheasamh ansin ag feitheamh leis, luigh a shúil ar an gcnagaire.

"Beidh mé ceanúil air i rith mo shaoil," arsa Scrúg, á chuimilt lena bhos. "Is annamh roimhe seo a d'fhéachas air. Nach macánta an fhéachaint atá aige! Is iontach an cnagaire é! Tá an chearc fhrancach chugainn! Haló-hú! Conas atá tú? Nollaig shúgach chugat!"

Níor mhiste cearc fhrancach a ghlaoch uirthi! Níor fhéad sí riamh seasamh ar a cosa — bhrisfeadh sí iad i gceann nóiméid mar a bhrisfeadh sí cipíní de chéir shéala.

"Ach, ní féidir an t-éan sin a iompar go Baile Caimdin," arsa Scrúg. "Caithfidh tú carr a fháil."

Gháir sé agus é ag rá na bhfocal sin, agus gháir sé ag díol as an gcearc fhrancach, agus gháir sé agus é ag díol as an gcarr, agus gháir sé ag tabhairt a luach saothair don bhuachaill, ach is mó a gháir sé ag suí arís dó go fann-análach ina chathaoir mar ar gháir sé gur tháinig na deora lena shúile.

Níorbh fhurasta dó é féin a bhearradh mar bhí a lámh ag síorchrith, agus ní beag an gnó do dhuine é féin a bhearradh gan a bheith ag damhsa ina theannta sin, ach dá ngearrfadh sé barr na sróna de féin is amhlaidh a chuirfeadh sé ceirín iata air, agus is é a bheadh go lánsásta.

Chuir sé togha éadaí air, agus faoi dheireadh bhí sé amuigh ar an tsráid. Bhí na daoine ag iompú amach mar a chonaic sé iad i dteannta Thaibhse na Nollag seo Láithreach. Shiúl sé agus a lámha taobh thiar dá dhroim, agus é ag sméideadh ar gach duine go róthaitneamhach. Bhí a fhéachaint chomh soilbhir sin, go deimhin, go ndúirt triúr nó ceathrar ógánach soineanta leis, "Maidin mhaith chugat, a dhuine uasail! Nollaig shúgach chugat!" agus is minic ina dhiaidh sin a deireadh Scrúg gurbh é sin an glór ab aoibhne dár airigh sé i gcaitheamh a shaoil.

Ní fada a chuaigh sé nuair a chonaic sé chuige an duine uasal teann úd a tháinig an lá roimhe sin, ag rá "Scrúg agus Meárlaí, is dóigh liom?" Ba bhriseadh croí leis smaoineamh ar an bhféachaint a thabharfadh an seanduine uasal seo air nuair a theagmhódh sé leis. Ach ní raibh mearbhall air i dtaobh an ruda ba chóir dó a dhéanamh, agus rinne sé an rud sin.

"A dhuine chóir," arsa Scrúg, ag brostú air agus ag breith ar dhá lámh ar an duine uasal. "Conas atá tú? Tá súil agam go raibh scéala maith inné agat. Ba an-mhaith uait é. Nollaig mhaith chugat."

"An é seo an duine uasail, Scrúg?"

"Is é, cheana," arsa Scrúg. "Sin é m'ainm agus tá eagla orm nach geal leat é. Ceadaigh dom do phardún a ghabháil, agus chuirfeá comaoin orm dá...." Chogair Scrúg ina chluas.

"Cabhair Dé chugainn!" arsa an duine uasal, agus ba dhóigh leat gur cuireadh dá anáil é. "A Scrúig, a chara, an dáiríre atá tú?"

"Más é do thoil é," arsa Scrúg. "Gach uile feoirling de. Is iomaí riaráiste atá cruinnithe ann, geallaim duit. An ndéanfaidh tú an deis sin dom?"

"A dhuine chóir," arsa an fear eile, ag croitheadh a láimhe, "ní fheadar cad a déarfad, tá an oiread sin...."

"Ná habair focal, más é do thoil é," arsa Scrúg "Tar do m'fhéachaint. Nach dtiocfaidh tú do m'fhéachaint anois?"

"Tiocfaidh," arsa an duine uasal, agus b'fhollas go raibh sé dáiríre.

"Go raibh maith agat," arsa Scrúg, "is mór an

chomaoin a rinne tú dom. Is rómhór é mo bhuíochas ort. Bail ó Dhia ort!"

Chuaigh sé chun teampaill agus shiúl sé ar fud na sráideanna, d'fhair sé na daoine ag brostú anseo is ansiúd, chuir sé a lámh go ceanúil ar chloigeann na bpáistí, chuir sé ceisteanna ar bhacaigh, d'fhéach sé síos i gcistiní agus suas ar fhuinneoga na dtithe, agus mhothaigh sé go raibh gach aon ní ag cur áthais air. Níor bheartaigh sé riamh go bhféadfadh siúlóid — ná aon ní eile — an oiread sin áthais a chur air. Um thráthnóna chuaigh sé faoi dhéin theach a nia.

Chuaigh sé thar an doras deich n-uaire sula bhfuair sé ann féin dul suas agus an cnagaire a bhualadh, ach thug sé iarracht faoi agus bhuail sé é.

"An bhfuil do mháistir ag baile, a stór?" arsa Scrúg leis an gcailín. Cailín deas. An-deas ar fad!

"Tá, a dhuine uasail."

"Cá bhfuil sé, a ghrá?" arsa Scrúg.

"Tá sé sa phroinnteach, a dhuine uasail, in éineacht leis an máistreás. Stiúrfaidh mé suas an staighre thú, más é do thoil é."

"Go raibh maith agat. Tá aithne aige orm," arsa Scrúg, agus a lámh cheana féin ar ghlas an phroinntí. "Rachaidh mé isteach anseo, a stór."

D'oscail sé an doras go ciúin, agus sháigh sé a cheannaghaidh isteach i leataobh le hais an dorais, bhíodar ag iniúchadh an bhoird a bhí lán de shórta os a gcomhair, mar go mbíonn na coimeádaithe tí óga seo go díograiseach i dtaobh na nithe seo i gcónaí, agus is maith leo gach aon rud a bheith ina cheart acu.

"A Fhreid!" arsa Scrúg.

Ochón ó! Mar ar phreab a neacht, bean a nia. Níor chuimhnigh Scrúg ar an láthair a raibh sí ina suí sa chúinne ar stól beag íseal, nó ní dhéanfadh sé an gníomh sin.

"D'anam do Dhia!" arsa Freid. "Cé hé sin?"

"Mise atá ann, d'uncail Scrúg, Tháinig mé chun dinnéir. An ligfidh tú isteach mé, a Fhreid?"

An ligfeadh sé isteach é! Is mór an t-ionadh nár chroith sé an ghualainn as. Faoi cheann cúig nóiméid ba é a theach féin é. Ní fhéadfadh éinne a bheith níos soilbhre ná mar a bhí sé. Bhí an soilbhreas céanna le feiscint i ngnúis bhean a nia, agus i ngnúis Thopair nuair a tháinig sé, agus i ngnúis na deirféar teinne nuair a tháinig sise, agus i ngnúis gach duine nuair a thángadar. Ba í an chuideachta iontach í, ba iontach an imirt a bhí acu, ba iontach mar a d'aontaíodar le chéile, ba ró-iontach é a sásamh aigne!

Ach is moch ar maidin a bhí sé ag an oifig. Ó, is rómhoch ar fad a bhí sé ann. Dá bhféadfadh sé a bheith ann ar dtús agus breith ar Bhob Chraitit ag teacht isteach go ródhéanach, sin é an rud is mó a bhí uaidh.

Agus is mar sin a tharla, mar sin go díreach. Bhuail an clog a naoi. Agus ní raibh Bob le feiscint. Tháinig ceathrú tar éis a naoi, ach níor tháinig Bob. Bhí sé ocht nóiméad déag go leith go cinnte siar dá aimsir. Shuigh Scrúg agus an doras ar deargleathadh aige d'fhonn go bhfeicfeadh sé ag dul isteach sa dromhlach é.

Bhí a hata bainte aige dá chloigeann sular oscail sé an doras agus bhí an carbhat leis bainte de aige. Bhí sé ar an stól ar bhagairt na súl agus ag tiomáint leis lena pheann mar a bheadh sé ag iarraidh breith ar a naoi a chlog.

"Haló!" arsa Scrúg, ag cur a uallfairte gnáthaí as, chomh maith is ab fhéidir leis é, "cad atá ort is teacht anseo um an dtaca seo de ló?"

"Tá cathú mo chroí orm," arsa Bob. "Admhaím go bhfuilim déanach."

"Tá tú déanach," arsa Scrúg. "Go deimhin, is dóigh liom go bhfuil. Gluais mar seo, más é do thoil é."

"Níl ann ach uair sa bhliain," arsa Bob go truamhéalach, ag teacht amach as an dromhlach. "Ní bheidh an scéal amhlaidh a thuilleadh. Bhíos ag aoibhneas go neamhghnách inné, a dhuine uasail."

"Is ea, anois, tá an méid seo agam le rá leat," arsa Scrúg. "Ní chuirfidh mé suas lena leithéid seo d'iompar a thuilleadh uait, agus dá bhrí sin," ar seisean, ag léimneach as a stól, agus ag tabhairt poic san ucht do Bhob, i dtreo gur thit sé isteach ina dhromhlach arís, "agus dá bhrí sin, táim ar tí breis tuarastail a thabhairt duit!"

Tháinig ballchrith ar Bhob, agus dhruid sé isteach ní ba ghaire don bhata dírithe. Tháinig sé ina aigne

ar feadh nóiméid Scrúg a leagadh leis an mbata sin, agus greim a choinneáil air, agus glaoch chun mhuintir an lána chun cúnamh a thabhairt dó agus "cóta díreach".

"Nollaig shúgach chugat, a Bhob," arsa Scrúg le díograis nár fhág drochamhras ina chroí, agus á bhualadh sa droim lena lámh. "Nollaig níos súgaí, a Bhob, a chiallaigh, ná a thugas duit le mórán de bhlianta. Béarfaidh mé breis tuarastail duit agus cabhróidh mé le do mhuirín leathlámhaigh, agus tógfaimid comhairle le chéile i dtaobh do ghnó um thráthnóna beag seo os cionn scalach de phuins a mbeidh gal as. Fadaigh an tine agus ceannaigh bosca nua i gcomhair an ghuail, a Bhob Chraitit, sula gcuirfear síneadh fada ar aon 'i' eile."

B'fhearr Scrúg ná a ghealllúint. Rinne sé an méid sin ar fad agus seacht gcéad ní nach é. Ach bhí sé ina athair do Thaidhgín Caol, agus ní bhfuair Taidhgín bás, leis. D'iompaigh sé amach ina chara, ina mháistir, ina fhear chomh maith is a bhí sa tseanchathair, nó in aon seanchathair, nó seansráid nó seandaingean eile sa seandomhan seo riamh. Bhíodh daoine ag gáire faoi i dtaobh an athrú a tháinig air, ach lig sé dóibh gáire leo, agus níor bhac sé leo, óir is aige a bhí a shárfhios ná deachaigh aon ní ar an saol seo riamh chun cinn ná raibh daoine éigin ag steallmhagadh faoi i dtosach, agus nuair a bhí a fhios aige go mbeadh a leithéid seo dall ar aon slí, bheartaigh sé go raibh sé

chomh maith acu a shúile a dhúnadh suas le fillíní scige leis an ngalar a fháil i gcuma éigin mhíchneasta. Gháir a chroí féin, agus níor bheag sin leis.

Ní raibh aon chaidreamh aige ar spioraid a thuilleadh, agus d'éirigh sé astu ar fad ar feadh a shaoil, agus deirtí go raibh a fhios aige conas ba chóir an Nollaig a chaitheamh, má bhí an fios sin ag éinne ina bheatha. Agus, dá bhrí sin, mar a dúirt Taidhgín Caol, bail ó Dhia orainn go léir.

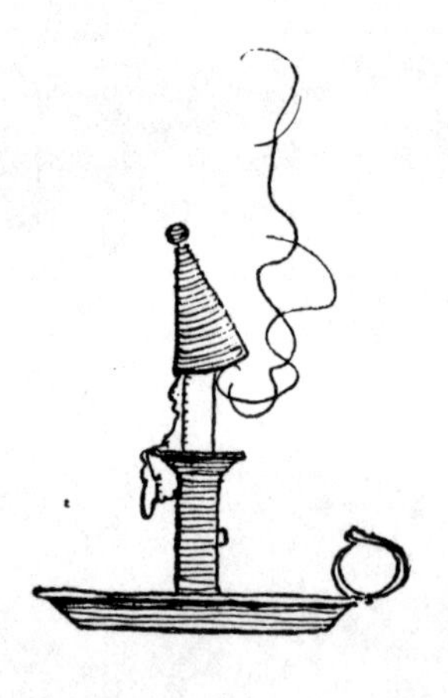

AN FUADACH

Robert Louis Stevenson

294 lch; ISBN 978-1-909907-65-2

Aithnítear *An Fuadach* (Kidnapped) go forleathan mar an t-úrscéal is fearr de chuid Stevenson, leabhar ar ar thug Henry James 'coróin agus príomhbhua an ealaíontóra'. Seo é scéal scleondrach corraitheach an dílleachta Dáibhí Balfúr, fear óg a bhfuil a uncail Eibinéasar ag iarraidh é a mharú agus a oidhreacht a thógáil dó féin. Is é a chairdeas leis an claimhteoir Seacaibíteach Ailean Breac Stíobhaird a thugann slán é — ach is fear é siúd a bhfuil an tóir amuigh ag na Sasanaigh air agus, ina chuideachta, caithfidh Dáibhí dul i mbaol a bháis i nGaeltacht na hAlban agus na Cótaí Dearga sna sála orthu.

San aistriúchán seo le Darach Ó Scolaí, tá an t-úrscéal a scríobhadh in 1886 curtha in oiriúint do léitheoirí an lae inniu, agus é maisithe le pictiúir ó eagrán 1913 den leabhar le N.C. Wyeth.

OILEÁN AN ÓRCHISTE

Robert Louis Stevenson

176 lch; clúdach crua; ISBN 978-1-911363-01-9

Tá *Oileán an Órchiste* (Treasure Island) le Robert Louis Stevenson áirithe ar cheann de na scéalta eachtraíochta is mó cáil riamh. Scéal scleondrach atmaisféarach é seo faoi fhoghlaithe mara ar an bhfarraige mhór, faoi mhapa órchiste, agus faoi Jim Hawkins, buachaill sna déaga a chuireann chun farraige agus é meallta ag draíocht an bhithiúnaigh Long John Silver.

Is mar scéal theacht in inmhe a aithnítear go coitianta é, agus tá cáil ar leith ar Oileán an Órchiste mar gheall ar an atmaisféar, na carachtair, agus ar an léiriú ann ar dhébhríochas na moráltachta — i bpearsa Long John Silver — rud neamhchoitianta i litríocht na n-óg. Tá sé ar cheann de na húrscéala is mó riamh a bhfuil athchóiriú déanta air.

San aistriúchán breá seo le Darach Ó Scolaí, tá an t-úrscéal curtha in oiriúint do léitheoirí an lae inniu, agus maisithe le pictiúir ó eagrán 1911 den leabhar le N.C. Wyeth.